Georges
SIMENON

Przyjaciel Maigreta z dzieciństwa

Georges SIMENON

Przyjaciel Maigreta z dzieciństwa

Przekład:
WŁODZIMIERZ GRABOWSKI

C&T
TORUŃ

Tytuł oryginału:
L'AMI D'ENFANCE DE MAIGRET

Opracowanie graficzne:
EWELINA BARCICKA

Redaktor wydania:
PAWEŁ MARSZAŁEK

Korekta:
MAGDALENA MARSZAŁEK

Skład i łamanie:
KUP „BORGIS" Toruń, tel. 56 654-82-04

ISBN 978-83-7470-308-6

Wydawnictwo „C&T" ul. Św. Józefa 79, 87-100 Toruń,
tel./fax 56 652-90-17

Toruń 2014. Wydanie I.
Druk i oprawa: Wąbrzeskie Zakłady Graficzne sp. z o.o.
ul. Mickiewicza 15, 87-200 Wąbrzeźno.

1

Mucha trzy razy okrążyła jego głowę i przysiadła w górnym lewym rogu kartki z raportem, który właśnie opatrywał swoimi uwagami.

Maigret zastygł z ołówkiem w ręku i rozbawiony przyglądał się jej z zaciekawieniem. Ta zabawa ciągnęła się już od blisko pół godziny, cały czas z tą samą muchą. Gotów był przysiąc, że ją rozpoznaje. Zresztą tylko ona jedna latała w biurze.

Zataczała kilka okrążeń po pokoju, zwłaszcza w części skąpanej w słońcu, oblatywała głowę komisarza i lądowała na dokumentach, które studiował. Zostawała tam na chwilę, leniwie pocierając o siebie odnóżami i zerkając na niego jakby wyzywająco.

Naprawdę zerkała na niego? A jeśli tak, czym dla niej była ta wielka masa ciała, którą się zdawał?

Starał się jej nie spłoszyć. Zastygł, z ołówkiem w powietrzu, aż nagle — jakby miała już dość — poderwała się i wyfrunęła przez otwarte okno, znikając w letnim powietrzu.

Była połowa czerwca. Od czasu do czasu lekki podmuch wiatru przenikał do pokoju, gdzie Maigret, bez marynarki, spokojnie pykał fajkę. To popołudnie poświęcił na czytanie raportów inspektorów, przykładał się więc do nich z niezbędną cierpliwością.

Mucha wracała dziewięć czy dziesięć razy, zawsze siadając w tym samym miejscu, jakby istniała między nimi jakaś umowa.

Dziwny to był zbieg okoliczności. Słońce, chłodniejsze podmuchy wiatru zza otwartego okna i ta mucha zaprzątająca jego uwagę przypomniały mu lata szkolne, kiedy to mucha krążąca nad ławką stawała się ważniejsza od słów nauczyciela...

Stary woźny Joseph zapukał dyskretnie do drzwi, wszedł i podał komisarzowi wytłoczoną wizytówkę.

> *Léon Florentin*
> *Antykwariusz*

— W jakim on jest wieku?

— Jakby w tym samym co pan...

— Wysoki, szczupły?

— Zgadza się. Bardzo wysoki i chudy, z szopą siwych włosów...

Tak, to na pewno był jego Florentin — ten sam, z którym był w gimnazjum Banville, w Moulins, ten klasowy błazen.

— Niech wejdzie.

Zapomniał zupełnie o musze, która, jakby urażona, wyfrunęła przez okno. A gdy wszedł Florentin, nastąpiła chwila zakłopotania, bo obaj od opuszczenia Moulins spotkali się tylko raz. I to było jakieś dwadzieścia lat temu. Maigret stanął na chodniku twarzą twarz z jakąś elegancką parą. Ona była ładną, typową paryżanką.

— Pozwól, że ci przedstawię starego przyjaciela z gimnazjum, który pracuje w policji...

A do Maigreta powiedział:

— Poznaj... moją żonę, Monique.

Wtedy też świeciło słońce. Nie mieli sobie nic do powiedzenia.

— I jak tam ci leci? Zadowolony jesteś?

— Zadowolony — odparł Maigret. — A ty?

— Nie narzekam.

— Mieszkasz w Paryżu?

— Tak, przy bulwarze Haussmanna 62. Ale często wyjeżdżam służbowo. Właśnie wracam ze Stambułu. Musisz do nas wpaść. Oczywiście z panią Maigret, jeśli jesteś żonaty...

Żaden z nich nie czuł się swobodnie. Wreszcie para skierowała się do sportowego kabrioletu w pistacjowym kolorze, a komisarz poszedł swoją drogą.

We Florentinie, który wszedł do jego biura, było mniej życia niż w tamtym spotkanym na placu Madeleine. Ubrany był w szary, dość sfatygowany garnitur, brak mu było dawnej pewności siebie.

— To miło, że nie kazano mi czekać... I cóż tam słychać? Co... u ciebie?

Maigret także po tak długim niewidzeniu z trudem mówił mu po imieniu.

— A u ciebie?... Siadaj... Jak żona?

W szarych oczach Florentina na moment zagościła pustka, jakby usiłował coś sobie przypomnieć.

— Masz na myśli Monique, tę małą rudą?... Prawdę mówiąc, żyliśmy przez jakiś czas ze sobą, ale nigdy się z nią nie ożeniłem... Dobra była dziewczyna...

— Nie ożeniłeś się?

— A po co?

I tu Florentin zrobił jedną ze swych min, które niegdyś tak śmieszyły kolegów i rozbrajały profesorów. Jakby ta jego pociągła twarz o wydatnych rysach była z gumy, potrafił ją wykrzywiać w dowolnym kierunku.

Maigret nie miał odwagi pytać, po co tu przyszedł. Przyglądał mu się tylko, z trudem uświadamiając sobie, ile to już lat minęło.

— No, ładne masz biuro... Nie wiedziałem, że policja jest tak dobrze umeblowana.

— A ty zostałeś antykwariuszem?

— Można i tak to nazwać... Skupuję stare meble i odnawiam je w takiej małej pracowni, którą wynajmuję przy bulwarze Rochechouart... No wiesz, teraz prawie każdy mniej lub bardziej zajmuje się starociami...

— I zadowolony jesteś?

— Nie narzekałbym, gdyby nie pewna przykrość, która mi się zwaliła na łeb dziś po południu...

Tak przywykł do błaznowania, że jego twarz automatycznie przybierała komiczny wyraz. Chociaż cerę miał jednak poszarzałą, oczy rozbiegane.

— Właśnie dlatego do ciebie przyszedłem. Pomyślałem, że ty lepiej niż kto inny potrafisz mnie zrozumieć...

Wyciągnął z kieszeni paczkę papierosów, drasnął zapałkę lekko drżącą ręką o długich, kościstych palcach. Maigret odniósł wrażenie, że czuje też zapach alkoholu.

— Prawdę mówiąc, jestem w kłopocie...

— Słucham cię.

— Cóż, trudno to wytłumaczyć. Od czterech lat mam przyjaciółkę...

— Kolejną taką przyjaciółkę, z którą żyjesz?

— Tak i nie... No, niezupełnie... Ona mieszka przy Notre--Dame-de-Lorette, blisko placu Saint-Georges...

Maigreta dziwiło to wahanie, te ukradkowe spojrzenia, bo Florentin był zawsze bardzo pewny siebie i wygadany. W gimnazjum Maigret zazdrościł mu tej łatwości bycia. Trochę też dlatego, że jego ojciec miał najlepszą cukiernię w mieście, naprzeciwko katedry. Od jego nazwiska brało się nawet ciastko z orzechami, miejscowy specjał.

Florentin miał zawsze pełno forsy w kieszeni. Mógł się wygłupiać w klasie bez obaw przed karą, cieszył się niejako specjalnymi przywilejami. A bliżej wieczora wychodził nawet z dziewczynami.

— Mów...

— Ona ma na imię Josée... Tak naprawdę to jest Joséphine Papet, ale woli, kiedy na nią mówią Josée. Ja zresztą też... Ma trzydzieści cztery lata, ale nie wygląda na tyle...

Florentin miał tę twarz tak ruchliwą, że sprawiało to wrażenie nerwowego tiku.

— Wiesz, stary, to trudno wytłumaczyć...

Wstał i podszedł do okna, długa sylwetka wyraźnie rysowała się w słońcu.

— Gorąco tu u ciebie — westchnął, ocierając czoło.

Nie wróciła już mucha, by rozsiąść się w rogu kartki rozłożonej przed komisarzem. Z mostu Saint-Michel dobiegał hałas aut i autobusów, czasem zawyła syrena holownika opuszczającego komin, gdy przepływał pod przęsłem.

Zegar ścienny z czarnego marmuru, taki sam jak we wszystkich biurach policji kryminalnej, a także w setkach innych pomieszczeń biurowych, wskazywał piątą dwadzieścia.

— Nie jestem jedynym... — wyrzucił z siebie wreszcie Florentin.

— Jedynym kim?

— Jedynym przyjacielem Josée... To właśnie tak trudno wytłumaczyć... Najlepsza z niej dziewczyna pod słońcem, a ja byłem jednocześnie jej kochankiem, przyjacielem i powiernikiem.

Maigret zapalił fajkę, starając się zachować spokój. Jego szkolny kolega znów usiadł naprzeciwko niego.

— Wielu miała jeszcze przyjaciół? — komisarz uznał, że czas na to pytanie, bo milczenie trwało zbyt długo.

— Poczekaj, niech policzę. Był Paré... to raz... I Courcel... to dwa... I Victor... trzy... No i ten rudy młodzieniaszek, którego nigdy nie widziałem... Czterech.

— Czterech kochanków, którzy ją regularnie odwiedzali?

— Niektórzy raz, inni dwa razy w tygodniu.

— Wiedzieli, że jest ich kilku?

— Jasne, że nie!

— Czyli każdy się łudził, że tylko on jeden ją utrzymuje?

To słowo wprawiło Florentina w zakłopotanie; zaczął kruszyć na dywan tytoń z papierosa.

— Mówiłem ci już, że to trudno zrozumieć...

— A ty w tej całej historii?

— Jestem jej przyjacielem... Przychodzę, gdy jest samotna...

— Sypiasz tam u niej?

— Oprócz nocy z czwartku na piątek.

W kolejnym pytaniu Maigreta nie wyczuwało się jawnej drwiny:

— Bo wtedy łóżko jest zajęte?

— Tak, przez Courcela... Ona go zna już dziesięć lat... Mieszka w Rouen, ale ma tu biuro przy bulwarze Voltaire'a. Długo by tłumaczyć... Gardzisz mną?

— Nigdy nikim nie gardziłem.

— Wiem, że ta sytuacja wydaje się delikatna, a większość ludzi surowo mnie osądzi... Ale przysięgam ci, że my się kochamy, Josée i ja...

I nagle dorzucił:

— A raczej kochaliśmy się...

Komisarz nie pozostał obojętny na tę poprawkę, ale nie dał nic po sobie poznać.

— Zerwaliście ze sobą?

— Nie.

— Ona zmarła?

— Tak.

— Kiedy?

— Dziś po południu...

W tym miejscu Florentin zwrócił się do niego z tragiczną miną i oświadczył w sposób teatralny:

— Przysięgam ci, że to nie ja... Znasz mnie przecież... I dlatego przyszedłem tu, bo ty mnie znasz i ja ciebie znam...

Właściwie to znali się, mając po kilkanaście lat, bo później każdy poszedł własną drogą.

— Na co umarła?

— Zastrzelono ją.

— Kto?

— Nie wiem.

— Gdzie to się stało?

— U niej w domu... W sypialni...

— A ty gdzie wtedy byłeś?

Coraz trudniej przychodziło mu mówienie „na ty".

— W pakamerze...

— U niej w mieszkaniu, tak?

— No tak... To się już parokrotnie zdarzało... Gdy ktoś dzwonił do drzwi, ja... To budzi w tobie wstręt? Przysięgam ci, że to nie tak jak myślisz... Ja zarabiam, pracuję...

— Postaraj się opowiedzieć dokładnie, co zaszło.

— Od kiedy?

— Powiedzmy, od południa.

— Zjedliśmy razem obiad... Ona świetnie gotuje, siedliśmy razem przy oknie... Jak w każdą środę, spodziewała się wizyty dopiero około wpół do szóstej, szóstej...

— Czyjej?

— On się nazywa François Paré, ma około pięćdziesiątki, jest naczelnikiem wydziału w Ministerstwie Robót Publicznych... Zajmuje się żeglugą śródlądową... Mieszka w Wersalu...

— Nigdy wcześniej nie przychodził?

— Nie.

— I co było po obiedzie?

— Gadaliśmy sobie...

— Jak była ubrana?

— W szlafrok... Jak nie wychodzi, zawsze siedzi w szlafroku... Około wpół do czwartej był dzwonek do drzwi, to schowałem się w pakamerze. Właściwie to jakby garderoba, ale nie w sypialni, tylko w łazience...

Maigret zaczął się niecierpliwić.

— A potem?

— Może po kwadransie usłyszałem hałas, przypominający wystrzał...

— To znaczy za piętnaście czwarta?

— Chyba tak...

— Rzuciłeś się do sypialni?

— Nie... Nie mogłem się ujawnić... Zresztą, to co mi się wydawało strzałem, mogło przecież być hukiem z rury samochodu czy autobusu.

Maigret przyglądał mu się teraz z napiętą uwagą. Przypomniał sobie stare opowieści Florentina, zawsze mniej lub bardziej fantastyczne. Wydawało się czasem, że on sam nie potrafi już rozróżnić prawdy od bujdy.

— I na co pan czekał?

— Mówisz do mnie „pan"?... To znaczy, że...

Jego twarz przybrała wyraz bólu, rozgoryczenia.

— Już dobrze! Na co czekałeś w tej pakamerze?

— To nie jest pakamera, tylko spora garderoba... Czekałem, żeby sobie poszedł...

— Skąd wiesz, że to był mężczyzna, skoro go nie widziałeś?

Tamten przyglądał mu się zdumiony.

— Nie zastanawiałem się nad tym...

— A Josée nie miała przyjaciółek?

— Nie...

— Ani krewnych?

— Pochodzi z Concarneau i jakoś nikogo z jej rodziny nie widziałem.

— A skąd wiedziałeś, że ten ktoś wyszedł?

— Słyszałem kroki w saloniku, potem ktoś otworzył i zamknął drzwi.

— O której?

— Koło czwartej.

— Czyli morderca był przez jakiś kwadrans przy zwłokach ofiary?

— Chyba tak...

— A gdzie była twoja kochanka, kiedy wszedłeś do sypialni?

— Na podłodze, koło łóżka.

— Jak była ubrana?

— Ciągle miała swój żółty szlafrok.

— Gdzie została trafiona?

— W szyję...

— Jesteś pewien, że nie żyła?

— To nie trudno było stwierdzić...

— W pokoju był bałagan?

— Nie zauważyłem.

— Żadnych otwartych szuflad, rozrzuconych papierów?

— Nie... Nie sądzę...

— Ale nie jesteś pewien?

— Byłem zbyt poruszony...

— Dzwoniłeś po lekarza?

— Nie... Skoro już nie żyła...

— A na komisariat?

— Też nie...

— Tu przyszedłeś o piątej pięć. Co robiłeś od czwartej?

— Najpierw zwaliłem się na fotel, całkowicie otępiały... Nic nie pojmowałem z tego... I ciągle nie pojmuję... Potem pomyślałem, że to ja będę podejrzany, bo ta zaraza, dozorczyni, mnie nie znosi.

— Siedziałeś w fotelu przez blisko godzinę?

— Nie... Nie wiem, ile czasu minęło, gdy w końcu się pozbierałem i trafiłem do knajpy, do Grand-Saint-Georges, i wypiłem jeden za drugim trzy kieliszki koniaku...

— A potem?

— Przypomniałem sobie, że to ty zostałeś szefem brygady kryminalnej...

— I jak tu przyjechałeś?

— Taksówką.

Maigret był wściekły, ale nie dało się tego wyczytać z jego kamiennej twarzy. Podszedł do drzwi pokoju inspektorów, otworzył je, a widząc Janviera i Lapointe'a, zawahał się, którego z nich poprosić. Wreszcie wybrał Janviera.

— Wejdź na chwilę... Zadzwoń zaraz do Moersa, do laboratorium, niech dotrze do nas, na Notre-Dame-de-Lorette... Który numer?

— Siedemnaście bis.

Ilekroć spoglądał na dawnego kolegę, przybierał ten sam zacięty, skryty wyraz twarzy. Gdy Janvier telefonował, rzucił okiem na zegar, wskazywał wpół do szóstej.

— No dobrze, to kim był ten środowy klient?

— Paré... Z ministerstwa.

— Normalnie o tej godzinie stałby pod drzwiami jej mieszkania?

— Tak, właśnie teraz...

— Ma klucz?

— Żaden z nich nie ma klucza.

— Ty też nie?

— Ja to co innego... Rozumiesz, stary...

— Wolałbym, żebyś nie mówił do mnie „stary".

— No widzisz! Nawet ty...

— Jedziemy...

W przejściu sięgnął po kapelusz, a schodząc szerokimi, wytartymi schodami, nabijał też fajkę.

— Zastanawiam się, czemu tak długo czekałeś, nim do mnie przyszedłeś, czemu nie wezwałeś policji... Ona była zamożna?

— Chyba tak... Trzy czy cztery lata temu kupiła, jako lokatę kapitału, kamienicę przy Mont-Cenis, u samej góry Montmartre'u.

— W mieszkaniu były pieniądze?

— To możliwe... Nie mógłbym przysiąc... Wiem tylko, że nie miała zaufania do banków.

Wsiedli do jednego z małych czarnych samochodów, stojących na dziedzińcu; Janvier miał prowadzić.

— Chcesz mi wmówić, że żyjąc z nią, nie wiedziałeś, gdzie trzyma oszczędności?

— Tak było naprawdę...

Nie chciał mu rzucić w twarz: „Przestań błaznować!".

Czyżby odczuwał litość?

— Ile pokoi ma to mieszkanie?

— Salonik, jadalnia, sypialnia z łazienką, mała kuchenka...

— Nie licząc garderoby...

— Nie licząc garderoby...

Lawirując między autami, Janvier próbował podczas tej krótkiej wymiany zdań zorientować się w sytuacji.

— Maigret, przysięgam ci...

I tak dobrze, że nie powiedział „Jules" — na szczęście w gimnazjum mieli zwyczaj mówienia do siebie po nazwisku!

Kiedy we trzech mijali stróżówkę, Maigret dostrzegł najpierw poruszenie się tiulowej firanki w szybie drzwi, a za nią samą konsjerżkę. Twarz miała równie dużą jak resztę ciała i przyglądała im się bez ruchu, jak portret lub posąg naturalnej wielkości.

Winda była ciasna i komisarz stał wręcz przytulony do Florentina, ze wzrokiem tuż przy oczach dawnego kolegi szkolnego, i to go krępowało. O czym myślał w tej chwili syn cukiernika z Moulins? Czy to strach ciągle wykrzywiał mu rysy, choć starał się przybrać naturalny wyraz twarzy, a nawet się uśmiechnąć?

Czy to on był mordercą Joséphine Papet? Co robił przez całą godzinę, nim się pojawił na Quai des Orfevres?

Minęli korytarz trzeciego piętra i Florentin najspokojniej w świecie wyciągnął z kieszeni pęk kluczy. Z wąskiego przedpokoju wchodziło się do saloniku i tu Maigret odniósł wrażenie, że cofnął się o pół wieku, a może nawet dalej.

Zasłony ze starego różowego jedwabiu udrapowane były jak za dawnych lat, podtrzymywane spięciami z grubego, plecionego jedwabiu. Na parkiecie leżał dywan o wyblakłych kolorach. Wszędzie plusze i jedwabie, a także serwetki, haftowane lub koronkowe nakrycia na fotelach imitujących styl Ludwika XVI.

Przy oknie stała obita welurem kanapa z mnóstwem poduszek, jeszcze zmiętych, jakby przed chwilą ktoś na nich siedział. Stolik na jednej nodze. Lampa z różowym abażurem na złoconej podstawie.

To był bez wątpienia ulubiony kącik Josée. W zasięgu ręki miała gramofon, czekoladki, ilustrowane magazyny i kilka sentymentalnych powieści. Telewizor stał na wprost, po przeciwnej stronie pokoju.

Tapety w drobne kwiatki zdobiło kilka płócien z krajobrazami odmalowanymi do najdrobniejszych detali.

Florentin, który śledził wzrok Maigreta, potwierdził:

— Tu najczęściej siadywała...

— A ty?

Antykwariusz wskazał stary skórzany fotel, niepasujący do reszty umeblowania: — To był prezent ode mnie... Jadalnia była równie staroświecka, równie banalna, równie zatęchła. Tu także wisiały ciężkie welurowe zasłony, a na parapetach obu okien stały doniczki z zielonymi roślinami. Drzwi sypialni były uchylone. Florentin wzdrygnął się przed wejściem. Maigret poszedł przodem i ujrzał rozciągnięte na dywanie zwłoki, dwa metry od drzwi.

Jak się często zdarza, dziura w szyi kobiety sprawiała wrażenie nieproporcjonalne do kalibru pocisku. Krwawienie było obfite, ale mimo to na twarzy rysowało się tylko zdumienie.

Na pierwszy rzut oka była pulchną, niewysoką kobietką z tych oddanych gotowaniu na wolnym ogniu albo mających zamiłowanie do mieszania konfitur.

Maigret rozglądał się wokół siebie, jakby czegoś szukając.

— Broni nie widziałem — oświadczył jego szkolny kolega, odgadując myśli komisarza. — Chyba że upadła pod nią, ale nie wydaje mi się to prawdopodobne...

Telefon znajdował się w saloniku. Maigret postanowił jak najszybciej skończyć z niezbędnymi formalnościami.

— Janvier, zadzwoń do komisariatu dzielnicowego. Poproś komisarza, żeby przyszedł z lekarzem. A potem zawiadom prokuratora...

Moers ze swoją ekipą zjawi się lada chwila. Maigret chciał mieć kilka minut na spokojne rozejrzenie się w sytuacji. Wszedł do łazienki, gdzie wisiały różowe ręczniki. Całe mieszkanie było pełne różowości. Kiedy otworzył drzwi szafy ubraniowej czy garderoby, a właściwie czegoś w rodzaju korytarzyka prowadzącego donikąd, znalazł jeszcze więcej różowości: szlafroczek w kolorze cukierkowato różowym, letnią suknię w żywym odcieniu różowego. Także inne suknie w odcieniach pastelowych, pistacjowym, jasnobłękitnym.

— Twoich ubrań tu nie ma?

— To byłoby kłopotliwe — wyjąkał nieco zażenowany Florentin. — Wszyscy wierzyli, że mieszka sama...

Jasne! To też było staroświeckie: ci dojrzali mężczyźni, zachodzący raz czy dwa razy w tygodniu, łudzący się, że utrzymują metresę, i nic o sobie nawzajem nie wiedzący.

Czy tak naprawdę jeden o drugim nic nie wiedział?

Po powrocie do sypialni, Maigret otworzył szuflady, znalazł rachunki, bieliznę, szkatułkę z niezbyt kosztowną biżuterią.

Wybiła szósta.

— Ten środowy pan powinien był już przyjść — zauważył.

— Może już był i poszedł, gdy nikt nie odpowiedział na jego pukanie?

Janvier podszedł z wieściami:

— Komisarz już jest w drodze. Zastępca prokuratora też niebawem dotrze w towarzystwie sędziego śledczego.

W każdym śledztwie Maigret tego momentu najbardziej nie znosił. Stali tak potem w piątkę czy szóstkę, spoglądali po sobie, po czym przyglądali się zwłokom, przy których klęczał lekarz.

Czysta formalność. Lekarz mógł tylko stwierdzić zgon, szczegóły i tak będą dopiero po sekcji. Także prokurator w imieniu władzy stwierdzał jedynie zejście.

Sędzia śledczy przyglądał się Maigretowi, jakby pytał, co właściwie o tym myśli, a przecież on jeszcze nic nie myślał. Z kolei tamtemu komisarzowi spieszno było wrócić do siebie.

— Proszę mnie na bieżąco informować — wymamrotał sędzia, który liczył sobie około czterdziestki i najwidoczniej był w Paryżu nowicjuszem.

Nazywał się Page. Awansował po szczeblach kariery urzędniczej, od podprefektury przechodząc zapewne kolejno przez coraz większe miasta.

Moers i jego ekipa czekali w saloniku, gdzie jeden z ekspertów na wszelki wypadek już szukał odcisków palców.

Kiedy oficjele się wynieśli, Maigret powiedział: — Teraz wasza kolej, chłopcy... Najpierw zdjęcia ofiary, nim jeszcze przyjedzie po nią karetka.

Gdy skierował się ku drzwiom, Florentin chciał pójść w jego ślady.

— Nie. Zostaniesz tutaj. Ty, Janvier, przesłuchaj sąsiadów z piętra, a w razie potrzeby tych piętro wyżej, może coś słyszeli...

Komisarz zszedł schodami. Dom był stary, ale jeszcze dość znośny. Na każdym stopniu miedziane pręty podtrzymywały szkarłatny chodnik. Prawie wszystkie klamki w drzwiach były wypolerowane, podobnie jak tabliczka *Mademoiselle Vial. Gorsety i pasy na miarę.*

Potężną dozorczynię zastał u jej drzwi, za firanką którą odsunęła ręką o palcach jak paróweczki. Kiedy zrobił ruch, jakby chciał wejść do środka, cofnęła się o krok, ale nic więcej, pchnął więc drzwi.

Spoglądała nań kompletnie obojętna, jak na martwy przedmiot, i ani drgnęła, gdy pokazał odznakę policyjną.

— Pewnie nie wie pani o niczym?

Nie otworzyła ust, ale oczy zdawały się mówić: „A niby o czym?". Stróżówka była czysta, pośrodku stał okrągły stół, w klatce dwa kanarki. W głębi widać było kuchnię.

— Panna Papet nie żyje...

Wreszcie przemówiła. Umiała jednak mówić, głosem nieco przytępionym, nacechowanym podobnie jak wzrok całkowitą obojętnością. A może to była raczej niechęć niż obojętność? Świat oglądała zza drzwi i nie cierpiała go.

— To stąd taki ruch po schodach? Jest ich tam chyba dziesięciu na górze, co?

— Jak się pani nazywa?

— Nie rozumiem, co to pana obchodzi?

— Skoro mam zadać pani kilka pytań, muszę w raporcie podać pani nazwisko.

— Pani Blanc...

— Wdowa?

— Nie.

— Pani mąż tu mieszka?

— Nie.

— Rzucił panią?

— Dziewiętnaście lat temu.

Koniec końców siadła w wielkim fotelu, skrojonym na miarę jej figury, a Maigret obok.

— Czy między wpół do szóstej a szóstą ktoś szedł na górę do panny Papet?

— Tak. Za dwadzieścia szósta.

— Kto?

— Oczywiście ten środowy... Nigdy nie pytałam ich o nazwisko... Wysoki, rzadkie włosy, zawsze ciemno ubrany...

— Długo tam był?

— Nie.

— Schodząc, nie rozmawiał z panią?

— Pytał, czy ta Papet wyszła.

Trzeba z niej było wyciągać słówko po słówku.

— Co mu pani odpowiedziała?

— Że jej nie widziałam.

— Sprawiał wrażenie zaskoczonego?

— Tak.

Stawało się to męczące, zwłaszcza że jej wzrok był równie nieruchomy jak otyłe ciało.

— A wcześniej po południu nie widziała go pani?

— Nie.

— Około wpół do czwartej, na przykład, nie widziała pani nikogo wchodzącego na górę? Była pani u siebie?

— Byłam i nikt nie wchodził.

— Ani nie schodził? Koło czwartej?...

— Tylko o czwartej dwadzieścia...

— Kto?

— Ten facet...

— Kogo pani nazywa „facetem"?

— Tego, który z panem przyszedł... Wolę inaczej się o nim nie wyrażać...

— Ukochany Joséphine Papet?

Uśmiechnęła się tylko z goryczą.

— Nie odezwał się do pani?

— Nawet nie otworzyłabym mu drzwi.

— I jest pani pewna, że nikt inny nie wchodził ani nie wychodził między wpół do trzeciej a wpół do czwartej?

Skoro raz już odpowiedziała, nie zadawała sobie trudu powtarzania się.

— Zna pani pozostałych przyjaciół tej lokatorki?

— Pan ich nazywa przyjaciółmi?

— Tych pozostałych gości... Ilu ich jest?

Poruszyła wargami jak w kościele i wreszcie wykrztusiła:

— Czterech. Nie licząc tego faceta...

— Nigdy nie dochodziło między nimi do przykrych spotkań?

— O ile mi wiadomo, nie...

— Przez cały dzień przebywa pani w tym miejscu?

— Tylko rano wychodzę po zakupy, a potem zamiatam schody.

— I dzisiaj nie było u pani żadnych gości?

— U mnie nigdy nie ma żadnych gości.

— Czy panna Papet wychodziła czasem z domu?

— Około jedenastej rano, po sprawunki. Daleko nie chodziła. Czasem wieczorem szła z tym facetem do kina.

— A w niedzielę?

— Niekiedy wyjeżdżali samochodem.

— Czyj to samochód?

— Pewnie, że jej.

— A kto prowadził?

— On.

— Wie pani, gdzie stoi ten wóz?

— W garażu przy ulicy La Bruyere.

Nie spytała nawet, na co zmarła lokatorka. Miała w sobie równie mało ciekawości jak energii i Maigret przyglądał się jej z rosnącym osłupieniem.

— Panna Papet została zamordowana...

— Można się było spodziewać, no nie?

— Dlaczego?

— Przy tylu mężczyznach...

— Zastrzelono ją z bardzo bliska...

Wysłuchała go bez słowa.

— Nigdy się pani nie zwierzała?

— Nie byłyśmy zaprzyjaźnione...

— Nie znosiła jej pani?

— Nawet i tyle nie.

Ta rozmowa tak mu zaczynała ciążyć, że Maigret otarł czoło i wyszedł ze stróżówki, szczęśliwy, iż znalazł się na ulicy. Właśnie przybyła karetka zakładu medycyny sądowej. Wyciągano nosze i lepiej było przejść przez ulicę, do knajpy *Grand-Saint-Georges*, gdzie przy kontuarze zamówił małe piwo.

Zabójstwo Joséphine Papet nie wzbudziło żadnego poruszenia w okolicy, nawet w kamienicy, gdzie od lat mieszkała.

Widział, że karetka odjeżdża. Gdy wrócił do kamienicy, konsjerżka stała na posterunku, przyglądając mu się zupełnie tak samo, jak za pierwszym razem. Wsiadł do windy, zadzwonił potem do drzwi. Otworzył mu Janvier.

— Przesłuchałeś sąsiadów?

— Tych, których zastałem w domu. Na każdym piętrze są tylko dwa mieszkania od frontu i jedno wychodzące na podwórko. Z tej strony zastałem tylko panią Saveur, w średnim wieku, bardzo miłą, bardzo zadbaną. Była u siebie przez całe popołudnie, szydełkowała, słuchając radia. W którymś momencie dotarł do niej dźwięk jakby takiej głuchej eksplozji, ale myślała, że to z samochodu albo autobusu.

— A nie słyszała otwierania i zamykania drzwi?

— Sprawdzałem... U niej nic nie słychać. Dom jest stary, a mury grube.

— A na czwartym?

— Para z dwojgiem dzieci wyjechała przed tygodniem na wieś czy nad morze... Z tyłu mieszka emerytowany kolejarz z wnuczkiem. Nic nie słyszał...

Florentin stał przy otwartym oknie.

— Po południu okno było otwarte? — spytał komisarz.

— Zdaje się... Było...

— A okno w sypialni?

— Na pewno nie.

— Skąd jesteś taki pewien?

— Bo przyjmując gości, Josée zawsze starannie je zamykała...

Naprzeciwko, w pracowni, gdzie na czarnej drewnianej nóżce stał manekin krawiecki obleczony grubym płótnem, cztery czy pięć dziewczyn zajętych było szyciem.

Florentin wyglądał na niespokojnego, choć cały czas starał się zachować uśmiech na twarzy. Dawało to dziwny grymas, który Maigretowi skojarzył się z gimnazjum Banville i tym, jak jego szkolny kolega dał się złapać profesorowi, którego przedrzeźniał za plecami.

„Florentin, czy ty chcesz nam przypomnieć, że pochodzimy od małpy?" — powiedział wówczas niski, blady blondyn, wykładający łacinę.

Współpracownicy Moersa przeczesali mieszkanie tak dokładnie, że nic, nawet najdrobniejszy pyłek, nie uszło ich uwagi. A Maigretowi mimo otwartego okna było duszno. Nie podobała mu się ta cała historia, budziła w nim lekką odrazę. Nie cierpiał fałszywej sytuacji, w jakiej się znalazł. Wbrew woli, w pamięci odżywały obrazy z przeszłości.

O dawnych kolegach szkolnych nie wiedział właściwie nic, a ten, który nieoczekiwanie się odnalazł, znajdował się w co najmniej dwuznacznej sytuacji.

— Rozmawiałeś z pomnikiem poległych?

Komisarz ze zdziwieniem spojrzał na Florentina.

— Z konsjerżką. Tak ją nazywam. Ona też na pewno wymyśliła na mnie jakieś straszne określenie.

— „Ten facet"...

— No proszę! „Ten facet". I co ci powiedziała?

— A ty na pewno opowiedziałeś wszystko, jak było naprawdę?

— Po co miałbym kłamać?

— Zawsze kłamałeś. Kłamałeś dla przyjemności...

— To było czterdzieści lat temu!

— Nie zauważyłem, żebyś się tak bardzo zmienił.

— I przyszedłbym do ciebie, gdybym miał coś do ukrycia?

— Co ci innego pozostawało?

— Mogłem sobie pójść... Wrócić do siebie, na bulwar Rochechouart...

— Żeby cię jutro aresztowano?

— Mogłem uciec, przekroczyć granicę...

— A masz pieniądze?

Florentin zarumienił się, a Maigret poczuł litość dla niego. Gdy był młody, bawiła go ta pociągła, błazeńska twarz, te wygłupy i śmieszne miny.

Teraz to przestało być zabawne, raczej przykro było patrzeć na to uciekanie się do starych grymasów.

— Nie wyobrażasz sobie chyba, że to ja ją zabiłem?

— Dlaczego nie?

— Przecież mnie znasz...

— Widziałem cię ostatni raz dwadzieścia lat temu na placu Madeleine, a przed tym trzeba by się cofnąć do gimnazjum w Moulins.

— A wyglądam na mordercę?

— Stać się mordercą można w ciągu paru minut, nawet paru sekund. Przedtem morderca wygląda jak wszyscy.

— I po co miałbym ją zabijać? Byliśmy najlepszymi przyjaciółmi pod słońcem...

— Tylko przyjaciółmi?

— Oczywiście, że nie, ale w moim wieku nie rozprawia się o wielkiej miłości...

— Ona także nie?

— Wierzę, że mnie kochała...

— Była zazdrosna?

— Nie dawałem jej okazji... A ty nie powtórzyłeś mi jeszcze, co ci opowiadała ta czarownica z dołu...

Janvier spoglądał na szefa z pewnym zdziwieniem, pierwszy raz widząc przesłuchanie w podobnych warunkach. Czuło się, że Maigret jest nieswój, niezdecydowany, że za każdym razem waha się, czy ma mówić „pan" czy „ty".

— Ona nie widziała nikogo wchodzącego tutaj.

— Kłamie. Albo była właśnie w kuchni...

— Twierdzi, że nie wychodziła ze stróżówki.

— To niemożliwe! Ten, który ją zabił, musiał skądś przyjść... Chyba że...

— Chyba że co?

— Że już przedtem był w domu.

— Jeden z lokatorów?

Florentin żywo chwycił się tej hipotezy.

— Dlaczego nie? Nie jestem jedynym mężczyzną w tej kamienicy...

— A Josée bywała u innych lokatorów?

— Skąd miałbym wiedzieć? Ja tu nie jestem zawsze. Mam swoją robotę. Muszę zarabiać na życie...

To zabrzmiało fałszywie. Jeszcze jedna komedia na koncie Florentina, który przez całe życie grał komedię.

— Janvier, idź przeszukaj całą kamienicę z góry na dół, pukaj do wszystkich drzwi, przesłuchaj każdego, kogo zastaniesz w domu. Ja wracam na Quai...

— A co z samochodem?

Maigret jakoś nigdy nie chciał nauczyć się prowadzić wozu.

— Złapię taksówkę.

I zwrócił się do Florentina:

— Chodźmy...

— Czy chcesz powiedzieć, że mnie aresztujesz?

— Nie.

— To w czym rzecz? Do czego ci jestem potrzebny?

— Muszę z tobą porozmawiać.

2

W pierwszej chwili Maigret chciał zabrać swego kolegę na Quai des Orfevres, ale już odwracając się do taksówkarza, zmienił zdanie.

— Jaki to numer, ten na bulwarze Rochechouart? — spytał Florentina.

— Pięćdziesiąt pięć bis... Dlaczego?

— Bulwar Rochechouart pięćdziesiąt pięć bis...

Zaledwie dwa kroki. Kierowca, niezadowolony, że go zatrzymano dla tak krótkiego kursu, zamruczał coś pod nosem.

Z jednej strony był tam warsztat ramiarza od obrazów, z drugiej — trafika, a pomiędzy nimi wąski zaułek, z nierównym brukiem, gdzie stał ręczny wózek.

W głębi dwie oszklone pracownie. W tej po lewej malarz zajęty był malowaniem widoczku bazyliki Sacre-Coeur, bez wątpienia dla turystów. Musiał produkować je systemem taśmowym. Nosił on długie włosy, bródkę koloru pieprzu i soli i fontaź jak pacykarze z początku wieku.

Florentin wyciągnął z kieszeni pęk kluczy, otworzył drzwi pracowni po prawej, a Maigret poczuł, że psuje sobie wspomnienia z młodości.

Czyż to nie o gimnazjum w Moulins rozmyślał tuż przed zjawieniem się dawnego klasowego kolegi, gdy przyglądał się musze, z uporem sadowiącej się w lewym górnym rogu rozłożonej przed nim kartki papieru?

Co się stało z resztą chłopaków z klasy? Nie spotkał już żadnego z nich. Crochet, syn notariusza, z pewnością odziedziczył kancelarię po ojcu. Orban, grzeczny i pulchniutki, zamierzał studiować medycynę. Reszta zapewne rozproszyła się i urządziła po całej Francji i za granicą.

Czemu z nich wszystkich to Florentin musiał odnaleźć się w tak niemiłych okolicznościach?

Przypomniał sobie cukiernię, choć nieczęsto tam zachodził. Inni uczniowie, z większym kieszonkowym, spotykali się tam, by wśród luster, marmurów i złoceń, w miłej atmosferze połykać lody i ciastka. Bo lepsze panie w miasteczku nie uznawały ciastek innych niż od Florentina.

Teraz pokazywały mu się zakurzone rupiecie, a szyby, nigdy chyba nie myte, przepuszczały tylko przytłumione światło dnia.

— Przepraszam za bałagan...

W tym wypadku pojęcie „antykwariusz" było co najmniej pretensjonalne. Meble, które Florentin skupował Bóg jeden raczy wiedzieć gdzie, to przeważnie starocie bez klasy i wartości. Doprowadzał je jedynie do porządku, wyszorowując i nadając im nieco bardziej atrakcyjny wygląd.

— Dawno się tym zajmujesz?

— Trzy lata.

— A przedtem?

— Pracowałem w eksporcie.

— Eksporcie czego?

— Wszystkiego po trochu. Głównie do krajów Afryki...

— A jeszcze przedtem?

Florentin, zawstydzony, wymamrotał wreszcie:

— No wiesz, próbowałem wszystkiego po trochu... Nie miałem ochoty spędzić reszty życia w cukierni w Moulins. Siostra wyszła za cukiernika i oni przejęli interes...

Maigret przypomniał sobie siostrę, trochę pulchniutką, siadającą tam za białą ladą. Czyż nie podkochiwał się w niej odrobinę? Była taka żywa i wesoła, podobna do matki, w którą się wdała.

— W Paryżu niełatwo dać sobie radę. Bywa się raz na wozie, raz pod wozem...

Maigret znał wielu takich, którzy bywali na wozie i pod wozem, rozkręcali cudowne interesy walące się jak domki z kart, ciągle ocierali się o bramy więzienia. Takich, którzy oczekiwali stu tysięcy franków kredytu na stworzenie portu w jakimś egzotycznym kraju, a w końcu zadowalali się stu frankami, aby nie eksmitowano ich z mieszkania.

A Florentin znalazł Josée. Widok jego pracowni nie pozostawiał wątpliwości, że nie utrzymywał się ze sprzedaży tych mebli.

Maigret pchnął uchylone drzwi i znalazł się w ciasnym pokoiku bez okna — z żelaznym łóżkiem, umywalką i rozwaloną szafką.

— Tu sypiasz?

— Tylko we czwartki...

A do kogo to należały czwartki? Tylko jeden gość raz w tygodniu spędzał noc u Josée.

— Fernand Courcel — przypomniał Florentin. — Był przyjacielem Josée na długo przede mną... Już od dziesięciu lat zjawiał się u niej, spotykali się... Teraz ma mniej czasu, ale znalazł pretekst, by we czwartki zostawać na noc w Paryżu.

Maigret rozglądał się po kątach, otwierał szuflady w starych, zwyczajnych kredensach, z których oblazł już lakier. Nie umiałby powiedzieć, czego właściwie szuka. Jeden szczegół nie dawał mu spokoju.

— Mówiłeś, że Josée nie miała konta w banku?

— Tak. Przynajmniej o ile wiem.

— Nie miała zaufania do banków?

— Coś w tym rodzaju... Głównie to nie chciała, by ze względu na podatki znano jej dochody.

Maigret znalazł też starą fajkę.

— Palisz teraz fajkę?

— U niej nigdy... Nie lubiła tego zapachu... Tylko tutaj...

W wiejskiej szafie wisiał granatowy garnitur, a także robocze spodnie. Parę koszul, trzy albo cztery, i oprócz przysypanych trocinami sandałów, tylko jedna para butów.

Dorobek biedaka. A Joséphine Papet na pewno miała pieniądze. Może była skąpa? Może nie ufała Florentinowi, który szybko roztrwoniłby wszystko, do ostatniego grosza?

Nie znalazł nic ciekawego i niemal żałował, że tu trafił, bo na koniec zaczął litować się nad dawnym kolegą. Już stojąc w drzwiach, wydało mu się, że na szafie dostrzegł coś owiniętego w papier. Zawrócił, stanął na krześle i zszedł, trzymając w ręku prostokątną paczkę w gazetowym papierze. Czoło Florentina pokryło się kroplami potu.

Po odwinięciu papieru komisarz ujrzał blaszane pudełko po biszkoptach, z widocznym jeszcze czerwono-żółtym znakiem firmowym. Kiedy je otworzył, znalazł w środku pliki stufrankowych banknotów.

— To moje oszczędności...

Maigret spojrzał na niego, jakby nie dosłyszał, i siadł za stołem, by przeliczyć te pliki. Było ich czterdzieści osiem.

— Często jadasz biszkopty?

— Czasami...

— Mógłbyś mi pokazać inne takie pudełko?

— W tej chwili nie ma tu chyba drugiego...

— Przy Notre-Dame-de-Lorette widziałem dwa tej samej firmy...

— Pewnie stamtąd je wziąłem...

Zawsze kłamał, odruchowo albo dla zabawy. Musiał zmyślać jakieś historie, im bardziej nieprawdopodobne, tym większy okazywał tupet. Tyle że tym razem chodziło o bardzo wysoką stawkę.

— Teraz rozumiem, czemu na Quai des Orfevres przyszedłeś dopiero o piątej...

— Wahałem się... Bałem się, że to mnie oskarżą...

— Byłeś przedtem tutaj...

Jeszcze zaprzeczał, ale tracił powoli grunt pod nogami.

— Mam spytać sąsiada, tego malarza?

— Posłuchaj, Maigret...

Warga mu drżała. Można było sądzić, że za chwilę się rozpłacze; mało przyjemny widok.

— Wiem, że nie zawsze mówię prawdę. To silniejsze ode mnie. Pamiętasz, jakie wymyślałem historie, żeby was rozbawić... Ale nie dzisiaj, błagam cię, uwierz mi: to nie ja zabiłem Josée, a gdy to się stało, naprawdę siedziałem w pakamerze... Spojrzenie miał tragiczne, ale przecież zwykle grywał komedię.

— Gdybym ją zabił, nie zwracałbym się do ciebie...

— To dlaczego nie powiedziałeś prawdy?

— Jakiej prawdy?

Ciągle starał się zyskać na czasie. Lawirował.

— O trzeciej po południu to blaszane pudełko było jeszcze w mieszkaniu Josée. Zgadza się?

— Tak...

— No więc?

— To przecież proste... Josée nie utrzymywała żadnych stosunków z rodziną. Jej jedyna siostra mieszka w Maroku, gdzie mąż hoduje owoce cytrusowe. Są bogaci, a ja klepię biedę... Kiedy więc przekonałem się, że nie żyje...

— Skorzystałeś z okazji, żeby przywłaszczyć sobie forsę...

— Mówisz brutalnie, chociaż ja na twoim miejscu... I na pewno nikomu żadnej krzywdy nie wyrządziłem... Co się ze mną bez niej stanie?...

Maigret bacznie mu się przyglądał, rozdzierany sprzecznymi emocjami.

— Chodźmy.

Było gorąco. Chciało mu się pić. Czuł się mocno zmęczony, niezadowolony z siebie i innych.

Wychodząc z podwórza, zawahał się, na koniec pchnął dawnego kolegę w drzwi trafiki.

— Dwa małe piwa — zamówił.

— Wierzysz mi?

— Jeszcze porozmawiamy...

Maigret wypił dwa piwa, a potem zaczął szukać taksówki. Była to pora największego ruchu i nim dotarli do komendy, minęło blisko pół godziny. Niebo miało intesywnie błękitny kolor, na tarasach kawiarni panował tłok, wielu mężczyzn paradowało w samej koszuli, z marynarką przewieszoną przez ramię.

W biurze, gdzie nie docierało już słońce, panował względny chłodek.

— Siadaj. Możesz palić...

— Dzięki... Wiesz, że dziwnie się czuję w tej sytuacji, stojąc przed obliczem szkolnego kolegi...

— Ja też — mruknął komisarz, pykając z fajki.

— To nie to samo...

— Faktycznie...

— Osądzasz mnie surowo, co? Pewnie uważasz mnie za łajdaka...

— Ja cię nie osądzam. Próbuję tylko zrozumieć.

— Kochałem ją...

— Och!

— Nie twierdzę, że to była wielka miłość, że uważaliśmy się za Romea i Julię...

— Rzeczywiście, nie wyobrażam sobie Romea czekającego w pakamerze... Często ci się to zdarzało?

— Ze trzy czy cztery razy, gdy ktoś przyszedł niespodziewanie.

— Ci panowie wiedzieli o twoim istnieniu?

— Jasne, że nie.

— Nigdy się z nimi nie zetknąłeś?

— Czasem ich widywałem... Chciałem wiedzieć, jak wyglądają, i czekałem na ulicy... Widzisz sam, jestem z tobą szczery...

— Nie próbowałeś ich szantażować? To pewnie ludzie żonaci, ojcowie rodzin...

— Przysięgam ci...

— Przestałbyś już przysięgać, co?

— Dobrze. Ale co mam mówić, skoro i tak mi nie wierzysz?

— Prawdę.

— Nikogo nie szantażowałem...

— Czemu nie?

— Byłem zadowolony z tego, cośmy mieli... Nie jestem już taki młody... Dość włóczyłem się po świecie, zatęskniłem do spokoju i bezpieczeństwa... Josée działała na mnie kojąco, dbała o najdrobniejsze rzeczy...

— To ty namówiłeś ją do kupna samochodu?

— Razem na to wpadliśmy. Ale może to ja pierwszy podsunąłem?...

— I dokąd jeździliście w niedzielę?

— Gdzie się dało, do doliny Chevreuse, do lasku Fontainebleau, czasem, choć rzadziej, nad morze.

— Wiedziałeś, gdzie chowa pieniądze?

— Ona się przede mną nie kryła... Miała pełne zaufanie... I powiedz sam, Maigret, po co miałbym ją zabijać?

— Przypuśćmy, że miała cię już dość...

— Było wprost przeciwnie. Jak oszczędzała, to z myślą o tym, że któregoś dnia może zamieszkamy razem na wsi. Wstaw się w moje położenie...

Wbrew woli komisarz się skrzywił.

— Miałeś tam rewolwer?

— W nocnym stoliku był stary rewolwer... Znalazłem go dwa lata temu w jakimś meblu, który kupiłem na publicznej licytacji...

— Z nabojami?

— Czy był pełny, tak...

— I zaniosłeś go do niej?

— Josée była dość strachliwa. Aby jej dodać otuchy, włożyłem go do nocnego stolika.

— I ten rewolwer zniknął...

— Wiem... Też go szukałem.

— Po co?

— To głupota, zdaję sobie sprawę... Wszystko, co robię i co mówię, to głupota... Jestem zbyt szczery... Zrobiłbym lepiej, telefonując na komisariat i czekając potem... Mogłem opowiedzieć byle co, że przyszedłem właśnie i zastałem trupa...

— Zadałem ci pytanie. Po co szukałeś rewolweru?...

— Żeby go usunąć. Wrzuciłbym go do rynsztoka albo do Sekwany... Był moją własnością, pewnie zaraz by mnie oskarżono... I miałem rację, bo przecież ty sam...

— Jeszcze cię o nic nie oskarżyłem...

— Ale sprowadziłeś mnie tutaj i nie wierzysz w to, co mówię... Jestem aresztowany?

Maigret spojrzał na niego z wahaniem. Był poważny, zatroskany.

— Nie — wykrztusił wreszcie. To było ryzyko, zdawał sobie sprawę, ale nie miał odwagi postąpić inaczej. — Co zamierzasz robić po wyjściu stąd?

— Tak myślę, że powinienem coś zjeść... I pójdę spać...

— Dokąd?

Florentin się zawahał.

— Nie wiem... Chyba lepiej będzie, żebym nie wracał na Notre-Dame-de-Lorette...

Czy padło to tak bezwiednie?

— Będę musiał teraz sypiać przy bulwarze Rochechouart...

W klitce bez okna, na zapleczu pracowni, w łóżku, gdzie zamiast prześcieradeł był tylko stary, drapiący koc.

Maigret wstał i ruszył do pokoju inspektorów. Stanął za plecami Lapointe'a, czekając, aż ten skończy telefonować.

— U mnie jest taki wysoki, chudy facet. W moim wieku, ale mocno zniszczony... Mieszka w głębi podwórza Rochechouart 55 bis... Nie wiem, co będzie robił, dokąd pójdzie po wyjściu stąd. Chciałbym, żebyś nie spuszczał go z oka. Załatw, żeby cię w nocy zmienił któryś. A trzeci na jutro rano...

— I lepiej, by nie wiedział, że jest śledzony?

— Lepiej, żeby tego nie zauważył, ale to nie ma większego znaczenia. Jest szczwany jak małpa, tak czy inaczej będzie podejrzewał...

— Jasne, szefie. To poczekam w korytarzu...

— Zejdzie mi z nim najwyżej parę minut...

Gdy Maigret otworzył drzwi, Florentin cofnął się gwałtownie i próbował ukryć zmieszanie.

— Podsłuchiwałeś?

Zawahał się, by w końcu wykrzywić tę wielką gębę w dość żałosnym uśmiechu.

— A co ty byś zrobił na moim miejscu?

— I słyszałeś?

— Nie wszystko...

— Jeden z moich inspektorów będzie cię śledził... Uprzedzam, że gdy spróbujesz mu zwiać, roześlę twój rysopis do wszystkich komisariatów i każę cię zamknąć...

— Czemu mnie tak traktujesz, Maigret?...

Komisarz miał wielką ochotę powiedzieć mu, by przestał zwracać się do niego po nazwisku i tykać go. Ale nie znalazł tyle odwagi.

— Dokąd planowałeś w ogóle pójść?

— Kiedy?

— Musiałeś wiedzieć, że będzie śledztwo, że ty będziesz podejrzany... Te pieniądze schowałeś tak licho, bo nie miałeś czasu na znalezienie lepszego, bezpieczniejszego miejsca... Już wtedy myślałeś, by się do mnie zwrócić?

— Nie... Początkowo planowałem iść na komisariat...

— A nie wyjechać z Francji, nim znajdą zwłoki?

— Tylko przez moment...

— Co stanęło na przeszkodzie?

— Moja ucieczka byłaby jak dowód winy i zażądano by ekstradycji... Wtedy chciałem pójść na komisariat i jakoś nagle przypomniałem sobie o tobie... Często trafiałem na twoje nazwisko w gazetach. Ty jeden z całej klasy zdobyłeś jakąś sławę...

Maigret przyglądał mu się dalej z tą samą ciekawością, jakby ten dawny kolega stanowił zagadkę nie do rozwiązania.

— Mówią, że ty nie wierzysz pozorom, że szukasz sedna sprawy... Dlatego miałem nadzieję, że mnie zrozumiesz... I zaczynam myśleć, czy to nie był mój błąd. Przyznaj, że jesteś przekonany o mojej winie...

— Mówiłem ci już, że do niczego nie jestem przekonany...

— Nie trzeba było zabierać tych pieniędzy... Ten pomysł wpadł mi w ostatniej chwili, gdy już byłem przy drzwiach...

— Możesz sobie iść...

Obaj stali, Florentin wahał się, czy ma podać rękę. I może chcąc zapobiec tym gestom, Maigret wyciągnął z kieszeni chusteczkę i otarł czoło.

— Zobaczymy się jutro?

— Prawdopodobnie.

— To do zobaczenia, Maigret...

— Do widzenia.

Nie spojrzał na schodzącego po schodach Florentina ani na Lapointe'a śledzącego go. Nie był z siebie zadowolony, choć nie wiedział dlaczego. Ani z siebie, ani z nikogo. Zepsuty dzień, który aż do piątej po południu zapowiadał się przyjemnie i leniwie.

Akta ciągle jeszcze leżały na biurku, czekając, aż zapozna się z nimi i opatrzy uwagami. Mucha zniknęła, może zniechęcona, bo jej sprawił zawód.

Było wpół do ósmej. Zadzwonił do siebie, przy bulwarze Richard-Lenoir.

— To ty?

Co za nawyk, przecież doskonale rozpoznał głos żony.

— Nie przyjdziesz na kolację?

Tak już była przyzwyczajona, że ilekroć telefonował, reagowała jednakowo.

— A właśnie nie, wracam... Co jest do jedzenia?... Dobrze... Jasne... To za pół godziny...

Wszedł do pokoju inspektorów, gdzie pozostała już tylko znikoma część ekipy, przysiadł na miejscu Janviera, napisał mu parę słów, chcąc, by zadzwonił zaraz po powrocie.

I dalej odczuwał jakiś niepokój. To nie była zwykła sprawa, a fakt, że Florentin to ktoś w rodzaju przyjaciela z dzieciństwa, niczego nie ułatwiał.

Byli również inni, mężczyźni w pewnym wieku, zajmujący mniej lub bardziej odpowiedzialne stanowiska. Każdy na swój sposób prowadził spokojne i uregulowane życie rodzinne... Poza jednym dniem w tygodniu! Poza tymi kilkoma godzinami w cichym mieszkanku Joséphine Papet.

Jutro rano dzienniki doniosą o tej historii, a oni zaczną drżeć o swój los.

Zastanawiał się, czy nie pójść na poddasze, do kartotek, albo zapytać Moersa o jakieś wyniki. Skończyło się na tym, że wzruszył ramionami i wziął kapelusz.

— Do jutra, chłopcy.

— Do jutra, szefie.

Aż do Châtelet szedł pieszo zatłoczonymi ulicami i dopiero tam zajął miejsce w kolejce do autobusu.

Już na wejściu pani Maigret zauważyła, że mąż ma jakieś przykrości; widać to było w jej pytającym spojrzeniu.

— Idiotyczna historia — mruknął, przechodząc do łazienki, by umyć ręce.

Potem zdjął marynarkę i poluźnił krawat.

— Stary kolega z gimnazjum, który pogrążył się aż po uszy w niebywałej sytuacji... Już nie mówiąc, że kompletnie nikt nie okaże mu najmniejszej sympatii...

— Jakieś morderstwo?

— Strzałem z rewolweru... Kobieta nie żyje...

— Z zazdrości?

— Nie... Na pewno nie, jeśli to on strzelał.

— Ale nie jesteś pewny, czy to on?

— Siadajmy do stołu — westchnął, jakby zbyt długo o tej sprawie mówił.

Wszystkie okna były otwarte na oścież, zachodzące słońce rzucało złocisty blask. Kurczak w estragonie udał się pani Maigret nad podziw.

Ona sama była w bawełnianej sukni w drobne kwiatki, którą tak lubiła nosić po domu, co jeszcze podkreślało intymny charakter kolacji.

— Musisz jeszcze wyjść wieczorem?

— Nie sądzę. Czekam tylko na telefon od Janviera.

I telefon zabrzęczał w chwili, gdy zanurzał łyżkę w połówce melona.

— Halo, tak... Słucham cię, Janvier. Wróciłeś na Quai? Dowiedziałeś się czegoś?

— Właściwie niczego, szefie. Najpierw byłem w obu sklepikach na parterze. Po prawej jest bieliźniarski „Chez Eliane"... Bielizna, jaką można znaleźć chyba tylko na Montmartrze... Okazuje się, że turyści za tym przepadają... Dwie młode dziewczyny, blondynka i brunetka, mniej lub bardziej ale widzą, kto wchodzi i wychodzi w tym domu... Po opisie od razu rozpoznały Florentina i denatkę. Ona była ich klientką, choć bez większego upodobania do fantazyjnej bielizny... Mówią, że była kobietą uroczą, spokojną, uśmiechniętą, taka zalotna i miła mieszczka... Wiedzą, że Florentin z nią mieszkał, jego też bardzo lubią. Wygląda im nawet na arystokratę... Takiego nieco podupadłego, jak określiły. Miały tej Josée trochę za złe, że go zdradza, bo raz widziały, jak wychodziła z tym środowym panem...

— François Paré? Ten, który pracuje w Ministerstwie Robót Publicznych?

— Chyba tak... Stąd wiedziały, do kogo co tydzień, niemal o tej samej porze, przychodził z wizytą. Przyjeżdżał czarnym citroënem i zawsze miał problem z miejscem do zaparkowania. Za każdym razem niezmiennie przynosił kartonik z ciastkami.

— Znają też innych kochanków?

— Tylko tego czwartkowego, najstarszego... Od lat tam przychodzi i wydawało im się, że sporo czasu temu mieszkał u niej przez kilka tygodni... Mówią o nim „grubas"... Ma taką niemowlęcą twarz, okrągłą i różową, o jasnych, wyłupiastych oczach. Prawie co tydzień zabierał ją do miasta na kolację, a potem do teatru. W takie dni zapewne nocował u niej w mieszkaniu, bo niekiedy wychodził dopiero około południa.

Maigret zajrzał do swoich notatek.

— To Fernand Courcel z Rouen. Ma biuro w Paryżu, przy bulwarze Voltaire'a... A inni?

— O innych nic nie wspominały, ale są przekonane, że to Florentin był zdradzany...

— Co jeszcze?

— Sklep po prawej to „Buty Martin". Tam jest ciemno, bardziej w głębi. Półki zasłaniają widok na ulicę, chyba że się stanie tuż przy oszklonych drzwiach...

— Tak, co dalej?

— Na pierwszym piętrze mieszka dentysta. Nie wie nic... Jakieś cztery lata temu Josée była u niego. Trzykrotnie, na plombowaniu... Po prawej stare małżeństwo, które prawie nie wychodzi z domu. Mąż pracował w Banque de France, nie wiem na jakim stanowisku. Córka ma męża i co niedziela z dwojgiem dzieci są u nich... Mieszkanie od podwórza: chwilowo puste. Lokatorzy są od miesiąca we Włoszech. Mąż i żona pracują w gastronomii... Drugie piętro. Kobieta od gorsetów na miarę. Zatrudnia dwie dziewczyny. Nie mają nawet pojęcia o istnieniu Joséphine Papet... Po drugiej stronie schodów matka z trojgiem dzieci, najstarsze pięć lat. Mocna w pysku. Musi się drzeć, by przekrzyczeć te bachory... „To ohydne — powiedziała mi. — Pisałam już do właściciela domu. Mąż się nie zgadzał, ale trudno, napisałam. On się zawsze boi kłopotów... Bo nie robi się takich rzeczy w przyzwoitym domu, gdzie są dzieci... Prawie codziennie któryś z nich przychodził, poznawałam ich po dzwonku... Kuternoga przychodził w soboty, zaraz po południu. Łatwo było poznać jego kroki. Poza tym dzwonił rytmicznie: ta, ta, ta, ta... ta, ta! Głupi idiota! Może myślał, że jest jedyny..."

— Niczego więcej się o nim nie dowiedziałeś?

— Tyle tylko, że ma około pięćdziesiątki i że przyjeżdża taksówką.

— A rudzielec?

— Ten był nowy... Przychodził do kamienicy od paru tygodni. Młodszy od pozostałych, ma trzydzieści-trzydzieści pięć lat i po schodach przeskakuje po cztery stopnie.

— Ma klucz?

— Nie. Żaden nie ma klucza, poza Florentinem, którego lokatorka z drugiego piętra nazywa wytwornym sutenerem. „Już wolę tych z Pigalle — wyznała mi. — Ci przynajmniej na coś się narażają... I do niczego innego zresztą się nie nadają. Ale ktoś, kto na pewno pochodził z dobrej rodziny, starannie wykształcony..."

Maigret nie mógł powstrzymać się od uśmiechu; żałował, że sam nie przesłuchiwał mieszkańców kamienicy.

— Po prawej nikt mi nie otwierał... Na czwartym wpadłem w sam środek rodzinnej kłótni. „Jak nie powiesz, gdzie byłaś i z kim się widziałaś..." — darł się mąż. „Chyba mam jeszcze prawo iść po zakupy bez wyliczania ci sklepów, gdzie wchodziłam? Może mam jeszcze zabierać potwierdzenia od sklepikarzy?" „Ale nie powiesz mi, że trzeba całego popołudnia na zakup jednej pary pantofli? Mów! Z kim?" „Co z kim?" „Z kim się widujesz?" Tu wolałem się zmyć — ciągnął dalej Janvier. — Naprzeciw mieszka staruszka. To obłęd, ile w tej dzielnicy mieszka starych ludzi. Ona nie wie o niczym. Na wpół głucha, w mieszkaniu stęchlizna... Wreszcie próbowałem i z konsjerżką, ale łypała tylko na mnie tymi rybimi ślepiami i nie wyciągnąłem ani słówka...

— Możesz się pocieszyć, ja też nie. Tyle tylko, że według jej słów nikt nie wchodził między trzecią a czwartą.

— Jest tego pewna?

— Tak twierdzi... I mówi, że nie wychodziła ze stróżówki i nikt też nie mógł wyjść bez jej wiedzy. Z uporem maniaka będzie to już powtarzała, nawet przed sądem...

— I co mam teraz robić?

— Wracaj do domu, rano spotykamy się w biurze.

— To dobranoc, szefie.

Maigret zdążył odłożyć słuchawkę i wrócił do połówki melona, gdy znów zadzwonił telefon. Teraz to był Lapointe. Mocno podniecony.

— Od kwadransa próbuję się połączyć, ale ciągle jest sygnał zajęty... I próbowałem też na Quai... Dzwonię z narożnej trafiki. Mam nowiny, szefie...

— Mów...

— Przy wyjściu z komendy, on wiedział doskonale, że go śledzę, a schodząc ze schodów, odwrócił się nawet, żeby mi mrugnąć... Na chodniku trzymałem się o trzy-cztery metry za nim. Na placu Dauphine jakby się zawahał, potem ruszył ku piwiarni. Zdawało się, że na mnie czeka. „Muszę się napić i nie widzę powodu, by pana też nie zaprosić na kielicha" — powiedział. I miał minę, jak gdyby ze mnie drwił. To komik jak nic. Odparłem, że nigdy na służbie nie piję, i wszedł sam. Widziałem, jak duszkiem wychylił trzy czy cztery koniaki, dokładnie to nie wiem. Potem upewnił się, czy jestem ciągle na posterunku, znów mrugnął mi okiem i ruszył w stronę mostu Neuf. O tej godzinie jest tłok, ruch się zakorkował, wielu kierowców trąbiło... Dochodziliśmy tak do nabrzeża Megisserie, gdy zobaczyłem, że przechyla się przez poręcz i skacze do Sekwany. Ale tak szybko, że tylko paru najbliższych przechodniów zauważyło, co zaszło... Wynurzył się jakieś trzy metry od zakotwiczonej barki, a ponieważ tłum gęstniał, rozegrała się istna komedia. Marynarz z barki złapał długi, ciężki bosak i podał Florentinowi. On go chwycił i pozwolił wyłowić się z wody... Przyleciał jakiś posterunkowy i pochylił się nad niedoszłym topielcem. W tym czasie mnie udało się wyrwać z tłumu, podejść na brzeg, a potem do barki. Dookoła pełno było gapiów, jakby stało się coś ważnego... Ja wolałem nie wtrącać się i śledzić to z boku. Gdyby trafił się jakiś reporter, lepiej było nie budzić jego podejrzeń. Ale nie wiem, czy dobrze zrobiłem...

— Bardzo dobrze.... Nawiasem mówiąc, powiem ci, że Florentin nic nie ryzykował, bo gdy chodziliśmy kąpać się do rzeki Allier, on był najlepszym pływakiem z nas wszystkich... I co było potem?

— Ten dzielny marynarz poczęstował go kieliszkiem wódki, nie wiedząc, że on wypił niedawno parę głębszych... Wtedy posterunkowy zabrał Florentina do komisariatu koło Hal... Nie wchodziłem, z tych samych powodów, co przedtem. Na pewno spisali nazwisko, adres, postawili kilka pytań...

Gdy wyszedł, nie zauważył mnie, bo jadłem akurat kanapkę w knajpce naprzeciwko. Wyglądał raczej żałośnie, okryty starym kocem, który mu pożyczyli policjanci. Zatrzymał taksówkę i kazał się zawieźć do siebie. Przebrał się... Widziałem go przez szybę pracowni... Potem wyszedł, wtedy też zauważył mnie. I zaraz poczęstował mnie nowym mrugnięciem oka i tym śmiesznym grymasem i ruszył aż na plac Blanche, gdzie wszedł do restauracji... Wrócił jakieś pół godziny temu, kupił po drodze gazetę, a kiedy go zostawiałem, czytał ją wyciągnięty na łóżku...

Maigret wysłuchał tej opowieści z niejakim osłupieniem.

— Kolację jadłeś?

— Jadłem kanapkę. Widzę, że i tu są w bufecie, kupię jeszcze jedną lub dwie... Torrence ma mnie zmienić o drugiej nad ranem.

— Ładna historia... — westchnął Maigret.

— Mam dzwonić, jak będzie coś nowego?

— O każdej porze.

O mało co zapomniałby o melonie. W mieszkaniu zapanował już zmierzch, jedząc, stanął więc przy oknie, a pani Maigret sprzątała ze stołu.

Jasne było, że Florentin nie usiłował popełnić samobójstwa. Dobry pływak praktycznie nie może w połowie czerwca utopić się w Sekwanie w obecności setek przechodniów. O parę metrów od barki!

To w jakim celu jego dawny kolega skakał do wody? Aby stworzyć pozory, że przygnębiają go ciążące na nim podejrzenia?

— I co tam słychać u Lapointe'a?

Maigret uśmiechnął się. Wiedział, do czego żona zmierza. Nigdy nie zadawała pytań wprost dotyczących pracy, ale pomagała sobie obchodzeniem tematu.

— Wszystko dobrze. Jeszcze parę godzin będzie przestępował z nogi na nogę na podwórzu przy bulwarze Rochechouart.

— Przez tego twojego gimnazjalnego przyjaciela?

— Tak... Właśnie ku uciesze przechodniów na moście Neuf zainscenizował komedyjkę, rzucając się do Sekwany.

— Nie wierzysz, że chciał popełnić samobójstwo?

— Jestem pewien, że nie...

Jaki interes miał Florentin, ściągając na siebie uwagę? Chciał, żeby gazety pisały o jego historii? Nie do pomyślenia, ale u niego niczego nie dało się wykluczyć.

— Może wyjdziemy zaczerpnąć powietrza?

Jeszcze nie było zupełnie ciemno, ale na bulwarze Richard-Lenoir już się paliły uliczne latarnie. Nie oni jedni powoli, bez celu, przechadzali się po chodniku, chcąc zakosztować chłodu po upalnym dniu.

O jedenastej poszli spać. A rano słońce już czuwało na posterunku, powietrze już było nagrzane. Od ulicy dochodził leciutki zapach smoły, zapach lata, kiedy topi się asfalt.

Jak zwykle w biurze Maigret musiał się uporać ze stosem papierów, nim zdał raport ze śledztwa. Poranne dzienniki donosiły o zbrodni przy ulicy Notre-Dame-de-Lorette, ale nie podawały szczegółów.

— Do winy się nie przyznał?

— Nie.

— Ma pan wystarczające dowody przeciwko niemu?

— Tylko przypuszczenia...

Nie było potrzeby dodawać, że Florentin to jego kolega z gimnazjum. Gdy wrócił do pokoju, zawołał Janviera.

— Generalnie, Joséphine Papet miała czterech stałych gości. Dwaj z nich, François Paré i niejaki Courcel, zostali zidentyfikowani, zajmę się nimi dziś rano. Ty weź się za dwóch pozostałych... Wypytaj sąsiadów, okolicznych sklepikarzy, wypytaj kogo tylko chcesz, ale przynieś mi ich nazwiska i adresy...

Janvier nie umiał ukryć uśmiechu, Maigret sam przecież wiedział, że było to zadanie prawie niewykonalne.

— Liczę na ciebie.

— Jasne, szefie...

Potem Maigret zadzwonił do lekarza sądowego. Niestety, to już nie był stary poczciwy Paul, któremu wielką radość sprawiało na wspólnych kolacjach opowiadanie z detalami o swoich sekcjach zwłok.

— Znalazł pan pocisk, doktorze?

Tamten zaczął odczytywać mu raport, który właśnie przygotowywał. Joséphine Papet była kobietą zdrową, w pełni sił. Wszystkie narządy były w dobrym stanie, skrupulatnie o siebie dbała.

Co do strzału, oddany został z odległości nie mniejszej niż pół metra i nie większej niż metr.

— Pocisk utkwił w nasadzie czaszki po torze lekko wstępującym...

Maigret mimo woli przypomniał sobie wysoką postać Florentina. Czy to by wskazywało, że siedział w chwili, gdy oddawał strzał?

Zadał to pytanie lekarzowi.

— Czy ktoś siedzący...

— Nie... Nie mam na myśli takiego kąta nachylenia. Mówiłem o torze lekko wstępującym... Posłałem pocisk do ekspertyzy do Gastinne-Rennette'a... I moim zdaniem wystrzelono go nie z pistoletu, ale z dość staroświeckiego rewolweru bębenkowego.

— Śmierć była natychmiastowa?

— Myślę, że nastąpiła w ciągu dwudziestu-trzydziestu sekund.

— A więc nic nie mogło jej uratować?

— Na pewno nie.

— Dziękuję panu, doktorze.

Torrence wrócił do biura. Zmienił go jeden z nowych, nazwiskiem Dieudonne.

— I co robił?

— Wstał o wpół do ósmej, ogolił się i po pobieżnej toalecie wyszedł do narożnej trafiki, gdzie wypił dwie kawy i zjadł kilka rogalików. Potem wszedł do budki telefonicznej. Tam jakby się zawahał i opuścił ją bez dzwonienia. Kilka razy odwracał się, żeby mnie wyszukać... Nie wiem, jaki jest na co dzień, ale mnie wydawał się zmęczony, zniechęcony... W kiosku przy placu Blanche kupił gazety i stojąc na chodniku, przejrzał jedną czy dwie. A potem wrócił do siebie... Teraz zastąpił mnie Dieudonne, przekazałem mu instrukcje i przyszedłem z raportem...

— I z nikim nie rozmawiał?

— Nie... Chociaż może, ale trudno to nazwać rozmową... Gdy kupował gazety, podszedł ten malarz. Nie wiem, gdzie nocuje, ale na pewno nie w swojej pracowni. Florentin zagadnął go: „Co słychać?", a tamten odparł mu zdawkowo i zaraz przyglądał mi się ciekawie. Na pewno dziwi się, co tam na zmianę robimy na podwórzu. Tak samo był ciekawy, gdy Dieudonne przyszedł za mnie...

Maigret sięgnął po kapelusz i wyszedł na dziedziniec. Mógł zabrać ze sobą inspektora i pojechać jednym z czarnych samochodów, ustawionych wzdłuż gmachu.

Wolał jednak pójść pieszo, przejść przez most Saint-Michel i skierować się ku bulwarowi Saint-Germain. Nigdy dotąd nie miał okazji być w Ministerstwie Robót Publicznych, dlatego zastanawiał się, którą z kilku oznaczonych literami klatek schodowych powinien wybrać.

— Kogo pan szuka?

— Wydział żeglugi śródlądowej...

— Klatka schodowa C, na samej górze.

Windy nie było widać. Schody były równie wyszarzałe jak w komendzie policji. Na każdym piętrze wymalowane na ścianie czarne strzałki kierowały do różnych urzędów wzdłuż korytarzy.

Kiedy dotarł na trzecie piętro, odnalazł właściwą strzałkę i pchnął drzwi z napisem: *Wchodzić bez pukania.*

W biurze, oddzielonym barierką od interesantów, pracowało czterech urzędników i dwie urzędniczki.

Na ścianach wisiały pożółkłe mapy, jak niegdyś w gimnazjum w Moulins.

— W czym możemy pomóc?

— Chciałbym zobaczyć się z panem Paré.

— A pan to...?

Zawahał się. Nie chcąc kompromitować naczelnika wydziału, który może był człowiekiem przyzwoitym, nie wyciągnął odznaki.

— Nazywam się Maigret...

Młody urzędnik zmarszczył brwi, przyjrzał mu się jakby z większą uwagą i wreszcie oddalił się, wzruszając ramionami.

Nie było go chwilę, a gdy wrócił, podniósł barierkę.

— Pan Paré zaraz pana przyjmie.

Pchnął drzwi i komisarz znalazł się przed mężczyzną w średnim wieku, otyłym i szacownym, który stojąc, gestem pełnym godności wskazywał mu krzesło.

— Spodziewałem się pańskiej wizyty, panie Maigret.

Na biurku rozłożona była poranna gazeta. Tamten także siadł, powoli, jakby z namaszczeniem i oparł ramiona na poręczach fotela.

— Nie muszę panu mówić, że znalazłem się w bardzo nieprzyjemnym położeniu...

Nie uśmiechnął się. Zapewne nieczęsto się uśmiechał. Był mężczyzną spokojnym i opanowanym, ważącym każde słowo.

3

Jego gabinet mógł z równym powodzeniem być biurem Maigreta sprzed modernizacji pomieszczeń policji kryminalnej — komisarz dostrzegł na kominku ten sam zegar z czarnego marmuru, który całymi dniami miewał przed oczyma, choć nigdy mu się nie udało go wyregulować.

Sam urzędnik jakby przypominał mu ten zegar. Postawa zdradzała wysokiego dygnitarza, ostrożnego i pewnego siebie zarazem. To, że miano go niespodziewanie indagować, musiało być dlań poniżające.

Rysy twarzy miał miękkie. Ciemne włosy, mocno przerzedzone, zaczesane były tak, by choć trochę przysłonić łysinę, a niewielki wąsik tak czarny, że na pewno farbowany. Ręce o bladej skórze pokrywały długie włoski.

— Wdzięczny panu jestem, Maigret, że mnie pan nie wezwał do komendy i pofatygował się osobiście...

— Staram się do minimum ograniczyć rozgłos towarzyszący tej sprawie.

— Faktycznie poranne gazety przynoszą tylko skąpe szczegóły...

— Od dawna znał pan Joséphine Papet?

— Tak od trzech lat... Wybaczy pan, że wzdrygnąłem się na to imię, ale zawsze nazywałem ją Josée... Sam dopiero po kilku miesiącach poznałem jej prawdziwe imię.

— Rozumiem. Jak ją pan poznał?

— W sposób najbardziej banalny. Ja, panie komisarzu, mam lat pięćdziesiąt pięć. Wtedy miałem pięćdziesiąt dwa i zechce mi pan wierzyć, że nigdy nie zdradziłem żony. I to mimo że od blisko dziesięciu lat ona choruje, a relacje między nami nie są łatwe, bo cierpi na neurastenię...

— Macie państwo dzieci?

— Trzy córki. Najstarsza wyszła za mąż za armatora z La Rochelle. Druga jest nauczycielką w gimnazjum w Tunisie, a trzecia, również zamężna, mieszka w Paryżu, w XVI dzielnicy. W sumie mam pięcioro wnucząt, najstarsze już dwunastoletnie. A co do nas, od trzydziestu lat mieszkamy w tym samym domu w Wersalu... Jak pan widzi, długo wiodłem żywot bezproblemowy, banalną egzystencję sumiennego urzędnika państwowego...

Mówił powoli, starannie dobierając słowa, jak przystało roztropnemu mężczyźnie. W jego zdaniach i w wyrazie twarzy nie było śladu poczucia humoru. Czy zdarzyło mu się kiedykolwiek parsknąć śmiechem? Mało prawdopodobne. Nawet gdy się uśmiechał, był to uśmiech przygaszony.

— Pytał mnie pan, gdzie ją poznałem... Zdarza się, że po biurze zatrzymuję się na chwilę w piwiarni u zbiegu bulwaru Saint-Germain i ulicy Solferino. Tak było tamtego dnia... Padał deszcz, pamiętam jeszcze wodę spływającą po szybach. Siadłem na zwyczajowym miejscu, a kelner, znający mnie od lat, przyniósł szklankę wina. Przy stoliku obok młoda kobieta zajęta była pisaniem listu, ale miała kłopoty z piórem. Fioletowy atrament wysechł w kałamarzu... To była przyzwoita osóbka, ubrana skromnie, w dobrze skrojonym kostiumie. „Halo, nie macie tu innego pióra?" „Niestety, to jedyne w lokalu... Teraz wszyscy noszą przy sobie wieczne pióra". Bez żadnych ukrytych myśli wyciągnąłem z kieszeni moje wieczne pióro: „Pani pozwoli". Spojrzała i uśmiechnęła się wdzięcznie. Tak się to zaczęło. Pisała chwilę, popijała herbatę. „Często pan tu zachodzi?", spytała, zwracając mi pióro. „Prawie codziennie". „Ja też lubię klimat tych starych piwiarni ze stałymi bywalcami..." „Mieszka pani blisko?" „Nie, przy Notre-Dame-de-Lorette, ale często bywam w tych dzielnicach..."

W jego wzroku rysowała się ogromna naiwność.

— Widzi pan, jak przypadkowe było nasze spotkanie. Nazajutrz jej nie było. Trzeciego dnia zastałem ją na tym samym miejscu, posłała mi też dyskretny uśmiech. Sprawiała wrażenie miłej, spokojnej, w jej zachowaniu i wyrazie twarzy było coś budzącego zaufanie. Wymieniliśmy kilka zdań. Powiedziałem jej, że mieszkam w Wersalu i zdaje się, że jeszcze tego samego dnia opowiadałem jej o mojej żonie i córkach... Musiała widzieć, jak wsiadam potem do samochodu... Zdziwi się pan zapewne, że tak to trwało ponad miesiąc i że w dni, gdy nie spotykałem jej w piwiarni, czułem się zawiedziony... Dla mnie była tylko przyjaciółką, o niczym innym jeszcze nie myślałem. Przy żonie musiałem liczyć się ze słowami, bo każde mogło być opacznie zinterpretowane i prowadzić do scen. Kiedy córki mieszkały jeszcze z nami, w domu panowały młodość i gwar, żona bywała jeszcze taka wesoła i aktywna. Nie potrafi pan sobie wyobrazić, co czuję, wracając do zbyt dużego i pustego mieszkania, gdzie czekają mnie tylko niespokojne i nieufne oczy...

Maigret zapalił fajkę, podsunął woreczek z tytoniem.

— Dziękuję. Od dawna już nie palę... Tylko proszę nie myśleć, że staram się usprawiedliwiać... W każdą środę miałem zebrania towarzystwa dobroczynności, którego jestem członkiem. Którejś środy nie poszedłem tam, ale panna Papet zabrała mnie do siebie. Mówiła, że mieszka sama, że utrzymuje się ze skromnej renty po rodzicach i bezskutecznie szuka pracy...

— Nie opowiadała panu o rodzinie?

— Ojciec, oficer, zginął na wojnie, gdy była jeszcze dzieckiem, a matka wychowywała ją na prowincji... I miała brata...

— Znał go pan?

— Tylko raz go widziałem. To inżynier, który często przebywa w rozjazdach. Pewnej środy, kiedy przyjechałem nieco wcześniej, zastałem go w mieszkaniu, więc akurat mogła nas sobie przedstawić... Wytworny mężczyzna, inteligentny, sporo od niej starszy. Opracował nową metodę eliminacji toksycznych gazów spalinowych w silnikach aut...

— Wysoki, szczupły, o ruchliwej twarzy i jasnych oczach? François Paré robił wrażenie zdziwionego.

— Pan go zna?

— Miałem okazję go spotkać... Powie mi pan, czy dużo pieniędzy dawał pan Josée?

Urzędnik zarumienił się i odwrócił wzrok.

— Jestem dość zamożny, a nawet chyba więcej. Brat matki zostawił mi w spadku dwa gospodarstwa rolne w Normandii, mogłem więc dawno już rzucić pracę... Ale co robiłbym wówczas po całych dniach?...

— Czy można powiedzieć, że pan ją utrzymywał?

— Niezupełnie... Dzięki mnie mogła nie liczyć się z drobnymi wydatkami, otoczyć się nieco większymi wygodami...

— I widywał się pan z nią wyłącznie we środy?

— To był jedyny dzień tygodnia, kiedy miałem pretekst, by zatrzymać się na wieczór w mieście... Im bardziej się starzejemy, żona i ja, tym bardziej ona robi się zazdrosna...

— Nigdy nie przyszło jej na myśl, by śledzić pana po wyjściu z ministerstwa?

— Nie... Ona w ogóle nie wychodzi z domu. Tak wychudła, że z trudem trzyma się na nogach, a wszyscy lekarze, jeden po drugim, zrezygnowali z prób przywrócenia jej zdrowia.

— A panna Papet utrzymywała, że pan to jedyny jej kochanek?

— Przede wszystkim to słowo nigdy między nami nie padło... W pewnym sensie jest trafne, bo nie przeczę, że utrzymywaliśmy intymne stosunki. Ale między nami istniała nade wszystko inna więź... Oboje byliśmy samotni, borykający się z losem... Nie wiem, czy pan to rozumie... Ona była moją przyjaciółką, a ja byłem jej przyjacielem...

— Był pan o nią zazdrosny?

Wzdrygnął się, obrzucił Maigreta złym spojrzeniem, jakby miał mu to pytanie za złe.

— Wyznałem panu, że przez całe życie nigdy nie miewałem przygód... Podałem, ile mam lat... Nie ukrywałem znaczenia, jakie stopniowo przybierała dla nas obojga przyjaźń... Z niecierpliwością czekałem środy. Żyłem jedynie dla środowych wieczorów. One pozwalały mi wszystko znieść...

— Byłby więc pan zdruzgotany, wiedząc, że miała innego kochanka?

— Oczywiście... To byłby koniec...

— Koniec czego?

— Wszystkiego. Tego skromnego szczęścia, które przez trzy lata było moim udziałem...

— Tylko raz jeden widział pan jej brata?

— Tak...

— I nigdy pan niczego nie podejrzewał?

— Cóż miałbym podejrzewać?

— Nigdy nie zastał pan w jej mieszkaniu nikogo innego?

Uśmiechnął się blado.

— Raz jeden, przed kilkoma tygodniami. Kiedy wysiadałem z windy, z mieszkania wychodził jakiś młody człowiek.

— Rudy?

Był zdumiony.

— Skąd pan wie? To wiadomo panu również, że to był agent ubezpieczeniowy... Przyznaję, że śledziłem go i widziałem, jak trafił do jednego baru przy Fontaine, sprawiając wrażenie stałego bywalca... Gdy pytałem o niego Josée, nie była wcale zakłopotana. „On tu przychodzi już trzeci raz, by mnie namówić na polisę na życie — wyjaśniła mi. — Ale dla kogo miałabym się ubezpieczać? Gdzieś tu muszę mieć jego wizytówkę..." Przeszukała szuflady i rzeczywiście znalazła taką na Jean-Luca Bodarda, z „Continentale", przy Avenue de l'Opera. To żadna wielka firma, ale cieszy się doskonałą opinią. Zadzwoniłem tam do personalnego, który mi potwierdził, że Jean-Luc Bodard to jeden z ich agentów.

Maigret palił wolniutko, małymi haustami, starając się zyskać na czasie, bo czekające go zadanie do przyjemnych nie należało.

— Był pan u niej wczoraj?

— Jak zawsze. Spóźniłem się trochę, bo zatrzymał mnie szef gabinetu ministra... Dzwoniłem i byłem zdziwiony, że nikt nie otwiera. Nacisnąłem dzwonek ponownie, zastukałem, ale bez efektu.

— Nie zapytał pan z ciekawości dozorczyni?

— Ta kobieta mnie przeraża, staram się mieć z nią jak najmniej do czynienia... Nie od razu wróciłem do domu. Zjadłem sam kolację w restauracji przy Bramie Wersalskiej, bo przecież oficjalnie miałem być na zebraniu towarzystwa dobroczynności...

— Kiedy dowiedział się pan o tej tragedii?

— Dziś rano, przy goleniu. Podali w radiu, bez szczegółów. Dopiero tu przeczytałem gazetę. I jestem wstrząśnięty... Nie rozumiem...

— A nie chodził pan tam wczoraj między trzecią a czwartą?

Odpowiedział rozgoryczony:

— Nie rozumiem, do czego zmierza to pytanie... Po południu nie wychodziłem z biura, moi współpracownicy mogą poświadczyć. Wolałbym jednak, by nie wymieniano mego nazwiska...

Biedak! Był niespokojny, przerażony, wstrząśnięty. Zawaliło się wszystko, do czego się na stare lata przywiązał, a mimo to usiłował zachować godność.

— Liczyłem się z tym, że ta konsjerżka, albo jej brat, jeśli jest w Paryżu, powiedzą wam o mnie...

— Nie ma żadnego brata, panie Paré...

Zmarszczył brwi z niedowierzaniem, bliski gniewu.

— Przykro mi, że pana rozczaruję, ale muszę powiedzieć prawdę... Ten, który został panu przedstawiony jako Léon Papet, nazywa się w rzeczywistości Léon Florentin, a jeszcze tak się składa, że razem chodziliśmy do gimnazjum w Moulins...

— Nie rozumiem...

— Ledwie pan się żegnał z Joséphine Papet, on wchodził do mieszkania, do którego zresztą miał klucz... Czy pan miał kiedyś klucz?

— Nie... I nigdy o to nie prosiłem. Nie przyszło mi na myśl...

— On stale tam przebywał, znikał tylko na czas, gdy spodziewano się gości...

— Powiedział pan „gości"?... W liczbie mnogiej?...

Chociaż bardzo blady, trzymał się w fotelu sztywno jak posąg.

— Było panów czterech, nie licząc Florentina.

— To znaczy...?

— Że Joséphine Papet w mniejszym lub większym stopniu utrzymywało czterech różnych kochanków. Jednego z nich poznała na długo przed panem i kiedyś nawet mieszkał czasowo u niej...

— Zna go pan?

— Jeszcze nie.

— Kto to?

W gruncie rzeczy François Paré ciągle nie dowierzał.

— Niejaki Fernand Courcel, który razem z bratem ma wytwórnię łożysk kulkowych. Fabryka jest w Rouen, ale biura w Paryżu, przy bulwarze Voltaire'a. Jest chyba w pańskim wieku, bardzo otyły...

— Trudno mi w to uwierzyć.

— Jego dniem był czwartek, on jeden zostawał w tym mieszkaniu na całą noc.

— Zakładam, że to nie jest żadna pułapka?

— Co chce pan przez to powiedzieć?

— Nie wiem. Mówi się, że policja posługuje się czasem pokrętnymi metodami. Ta historia wydaje mi się tak nieprawdopodobna...

— Był jeszcze jeden gość, sobotni. Moje informacje o nim są skąpe, ale wiem, że utyka...

— A czwarty?

Starał się być dzielny; choć te owłosione dłonie zaciskał na poręczach fotela tak mocno, że kostki pobladły.

— To ten rudzielec, agent ubezpieczeniowy, którego pan raz spotkał przypadkiem.

— Ale to naprawdę agent ubezpieczeniowy. Sam sprawdzałem.

— Można być agentem ubezpieczeniowym, a przy tym kochankiem pięknej kobiety...

— Nic już nie rozumiem... Pan jej nie znał, bo inaczej byłby pan podobnym jak ja niedowiarkiem. Nigdy nie spotkałem kobiety równie rozsądnej, prostej i spokojnej... Mam trzy córki i dzięki nim wiem coś o kobietach. Byłbym skłonny zaufać raczej Josée niż któremuś z własnych dzieci...

— Bardzo mi przykro, że muszę rozwiać pańskie złudzenia.

— I jest pan pewien wszystkiego, co mi pan podał?

— Jeśli panu na tym zależy, mogę załatwić, by Florentin to panu potwierdził...

— Absolutnie nie mam ochoty spotkać się z tym osobnikiem ani pozostałymi trzema... Jeśli zrozumiałem, Florentin był, jak to mówią, tym od serca?

— Mniej więcej. On wszystkiego w życiu próbował... I wszystko zawalił... Mimo to wywiera na kobiety jakiś uwodzicielski wpływ.

— Jest prawie w moim wieku...

— Tak, z różnicą około dwóch lat. Jego przewaga nad panem wynika stąd, że w dzień i w nocy jest pod ręką... A poza tym niczego nie traktuje poważnie. Dla niego każdy dzień to czysta kartka, która zapisuje się wedle własnego kaprysu...

Paré natomiast był człowiekiem obarczonym sumieniem, problemami, wyrzutami. Na twarzy i w jego postawie rysowała się powaga, z jaką mężczyźni traktują życie.

Wyglądało na to, że myślami nie rozstawał się prawie wcale ze swym gabinetem, może nawet całym ministerstwem, i Maigret z trudem sobie wyobrażał jego sam na sam z Josée.

Na szczęście ona była spokojna. Z pewnością umiała godzinami wysłuchiwać z uśmiechem zwierzeń mężczyzny doświadczonego przez los i zgorzkniałego od niepowodzeń. Stopniowo Maigret wyrabiał sobie o niej dokładniejsze pojęcie. To była kobieta praktyczna, umiejąca liczyć. Kupiła kamienicę na Montmartrze, trzymała schowane czterdzieści osiem tysięcy franków. Pewnie teraz kupiłaby drugi dom, może jeszcze trzeci?

Są kobiety, dla których liczą się tylko domy, jakby mury były na całym tym świecie jedyną trwałą wartością.

— Nie spodziewałby się pan nigdy takiej tragedii, panie Paré?

— Nic podobnego nie przyszło mi nawet do głowy. Nie wyobrażałem sobie niczego równie stabilnego jak ona, jej tryb życia, jej mieszkanie...

— Nie mówiła panu, skąd pochodzi?

— Z Poitiers, jeśli dobrze pamiętam.

Przezornie podawała każdemu inne miejsce urodzenia.

— Sprawiała na panu wrażenie osoby wykształconej?

— Zrobiła maturę, a później przez pewien czas pracowała jako sekretarka adwokata.

— Nie zna pan jego nazwiska?

— Nie skupiałem się na tym...

— Była kiedyś zamężna?

— Nic mi o tym nie wiadomo.

— A nie dziwiły pana jej lektury?

— Była sentymentalna, dość naiwna w gruncie rzeczy i stąd wolała tanie romanse. Sama się śmiała z tego dziwactwa...

— Nie chcę panu przeszkadzać bardziej niż to konieczne... Proszę tylko, żeby się pan zastanowił, poszperał w pamięci. Jakieś zdanie, szczegół pozornie bez znaczenia, bardzo może nam pomóc...

François Paré wyprostował się, zastanawiał, czy podać rękę.

— Chwilowo nic mi do głowy nie przychodzi...

A potem z ociąganiem, głosem stłumionym, zapytał:

— Nie wie pan, czy bardzo cierpiała?

— Zdaniem lekarza sądowego, śmierć nastąpiła natychmiast.

Poruszył wargami. Jakby się modlił.

— Dziękuję, że okazał pan tyle taktu. Żałuję tylko, że nie spotkaliśmy się w innych okolicznościach...

Uff! Już na schodach Maigret się otrząsnął. Miał wrażenie, jakby wychodził z tunelu na świeże powietrze, w realny świat.

To prawda, nie padło nic konkretnego, nic do wykorzystania od razu, ale rozmowa z naczelnikiem wydziału żeglugi śródlądowej przybliżyła mu obraz tej młodej kobiety.

Czy pisanie listu w piwiarni dla bogatszych klientów należało do jej normalnych praktyk, czy był to jedynie przypadek?

Najstarszy z jej kochanków, ten Fernand Courcel, poznał ją, gdy miała lat chyba dwadzieścia pięć. Czym się wówczas trudniła? Nie wyobrażał sobie, aby z tą cnotliwą aurą kręciła się po chodnikach w okolicy Madeleine czy na Polach Elizejskich. Czy ona naprawdę była czyjąś sekretarką, adwokata czy kogoś innego?

Leciutki wiatr wprawiał w drżenie liście drzew na bulwarze Saint-Germain, a Maigret wyglądał na rozkoszującego się na spacerze porannym powietrzem. W małej uliczce wiodącej na nabrzeża minął staroświecką knajpkę, przed którą wyładowywano z furgonetki beczułki wina.

Wszedł i oparł się o blaszany kontuar.

— Jakie to wino?

— Z Sancerre. Ja stamtąd pochodzę i sprowadzam je od szwagra...

— To poproszę szklaneczkę...

Wino było wytrawne i o bogatym bukiecie. Kontuar był rasowy, z cynowej blachy, a czerwona posadzka przysypana była trocinami.

— Jeszcze jedną proszę...

Co za profesja! Pozostały mu jeszcze rozmowy z trzema mężczyznami, z trzema kochankami Joséphine, która zdawała się być dostarczycielką marzeń.

François Paré niełatwo znajdzie kolejną taką, której odda swe starzejące się serce. Florentin skazany będzie na swoją pracownię na Montmartrze i na wyrko w klitce bez okna.

— No to kolejny! — westchnął, wychodząc z knajpy i kierując się ku gmachowi policji kryminalnej.

Jeszcze jeden kandydat do rozczarowania, do odarcia ze złudzeń.

Kiedy pokonał schody i długi korytarz policji kryminalnej, machinalnie rzucił okiem na oszkloną poczekalnię, którą dowcipni inspektorzy przezwali „akwarium".

Ku swemu zdziwieniu dojrzał w niewygodnych fotelach z zielonego weluru Léona Florentina z kimś nieznajomym. Osobnik był raczej niski i gruby, o okrągłej.twarzy i niebieskich oczach, który wyglądał na używającego życia.

Florentin coś mu właśnie tłumaczył półgłosem, a tamten trzymał w ręku chusteczkę zwiniętą w kłębek i raz po raz ocierał nią oczy.

Naprzeciw, ignorując ich, inspektor Dieudonne studiował w gazecie rubrykę wyścigów konnych.

Ani jeden, ani drugi nie zauważyli, jak Maigret przechodził do biura i tam od razu przycisnął guzik dzwonka. Niemal natychmiast drzwi uchylił woźny Joseph.

— Był ktoś do mnie?

— Dwie osoby, komisarzu.

— Kto pierwszy?

— No ten tam... — Podał mu wizytówkę Florentina.

— A drugi?

— Przyszedł jakieś dziesięć minut temu i wygląda na mocno poruszonego...

Wyszło, że to Fernand Courcel z firmy „Bracia Courcel. Łożyska kulkowe" w Rouen. Wizytówka zawierała też adres biura przy bulwarze Voltaire'a.

— Kogo prosić najpierw?

— Tego pana Courcela.

Siadł za biurkiem i rzucił okiem w okno otwarte na mieniące się na dworze powietrze.

— Proszę bardzo... Niech pan siada.

Mężczyzna był naprawdę mały i naprawdę gruby, ale można było rzec, że mu z tym do twarzy. Emanowała zeń witalność, serdeczność wcale nie udawana.

— Pan mnie raczej nie zna, panie komisarzu...

— Gdyby pan dziś nie przyszedł sam, wybrałbym się do pańskiego biura, panie Courcel.

Niebieskie oczy spoglądały ze zdziwieniem, ale bez strachu.

— Czyli jest pan zorientowany?

— Wiem, że był pan wielkim przyjacielem panny Papet i rano, słuchając radia albo czytając gazetę, doznał pan zapewne szoku...

Odpowiedzią był grymas, który bliski już był przerodzenia się w płacz, ale Courcel zdołał się opanować.

— Pan wybaczy... Jestem wstrząśnięty... Byłem dla niej kimś więcej niż przyjacielem...

— Wiem o tym.

— W takim razie niewiele mam do dodania, bo kompletnie nie wiem, co się mogło stać... To była najmilsza, najbardziej dyskretna kobieta...

— Zna pan tego mężczyznę, który z panem siedział w poczekalni?

Przemysłowiec, który nie przypominał teraz fabrykanta łożysk kulkowych, spojrzał ze zdumieniem.

— Nie wiedział pan, że miała brata?

— Dawno temu pan go poznał?

— Jakieś trzy lata... Wkrótce po tym, jak wrócił z Urugwaju.

— Długo tam mieszkał?

— Pan go nie przesłuchiwał?

— Ciekaw jestem, co on panu opowiadał...

— Jest architektem, a rząd urugwajski zlecił mu opracowanie planów nowego miasta.

— Poznał go pan u Joséphine Papet?

— Zgadza się.

— Przyszedł pan wtedy jakoś wcześniej lub niespodziewanie?

— Przyznam, że nie pamiętam.

Pytanie to zaskoczyło go, zmarszczył więc brwi, bardzo jasne. Włosy także miał blond, niemal białe, jak u niektórych niemowląt, a cerę delikatnie różową.

— Nie rozumiem, do czego pan zmierza...

— Widywał się pan z nim ponownie?

— Trzy albo cztery razy.

— Zawsze w jej mieszkaniu?

— Nie... Był u mnie w biurze, żeby pogadać o projekcie takiej nowoczesnej plaży, z hotelami, willami i domkami campingowymi, między Le-Grau-du-Roi a Palavas...

— Chciał pana tym zainteresować?

— Zgadza się. Przyznaję, że jego projekt miał wiele dobrych stron i kiedyś na pewno go zrealizują. Niestety, ja nie mogłem żadnych sum wycofać z naszego interesu, który jest po połowie mój i brata...

— Nic mu więc pan nie dawał?

Zarumienił się. Postawa Maigreta zaskoczyła go.

— Dałem mu kilka tysięcy franków na wydrukowanie planów.

— I zostały wydrukowane? Dał panu jakieś odbitki?

— Już panu powiedziałem, że mnie to nie interesowało.

— Później znów pana naciągał?

— W zeszłym roku, choć nie podoba mi się to wyrażenie. Nowatorzy ciągle napotykają na wielkie przeszkody... Jego kancelaria w Montpellier...

— Mieszka w Montpellier?

— Nie wiedział pan o tym?

Każdy z nich mówił innym językiem i Fernand Courcel już się zaczynał niecierpliwić.

— Może go pan poprosi i sam mu to pytanie zada?

— I na niego przyjdzie kolej.

— Zdaje się, że jest pan do niego uprzedzony.

— Bynajmniej, panie Courcel. Przyznam nawet, że to mój gimnazjalny kolega...

Grubasek wyciągnął papierosa ze złotej papierośnicy.

— Pozwoli pan?

— Bardzo proszę... To ile razy dawał mu pan pieniądze?

Zastanowił się.

— Trzy razy. Ostatnim razem zostawił książeczkę czekową w Montpellier...

— A o czym opowiadał panu parę minut temu w poczekalni?

— Muszę na to odpowiedzieć?

— Lepiej byłoby...

— To bardzo bolesny temat... A zresztą!...

Westchnął, wysunął swoje krótkie nogi, zaciągnął się mocno dymem.

— On nie ma pojęcia, co siostra robiła z pieniędzmi. Ja też nie, bo mnie to nie obchodzi... Tak się złożyło, że akurat ma problemy z gotówką, wszystko zainwestował w ten projekt i prosił, bym wyłożył na koszty pogrzebu...

Mocno uraziło Courcela to, że Maigret wybuchnął śmiechem. Bo to już był szczyt wszystkiego!

— Przepraszam. Zaraz pan zrozumie. Przede wszystkim ten człowiek znany panu jako Léon Papet, to naprawdę Léon Florentin. Syn cukiernika z Moulins, razem byliśmy w gimnazjum Banville.

— Czyli nie jest jej bratem?

— Nie, drogi panie. Ani jej bratem, ani kuzynem, co nie przeszkadzało, że z nią razem mieszkał.

— A to znaczy...

Wstał, nie mogąc usiedzieć w miejscu.

— Nie! — oświadczył. — To niemożliwe. Josée nie była zdolna do czegoś takiego...

Kręcił się tam i z powrotem, zaśmiecając dywan popiołem papierosa.

— Niech pan nie zapomina, komisarzu, że znam ją od dziesięciu lat. Początkowo, gdy nie byłem jeszcze żonaty, mieszkałem z nią razem. To ja znalazłem jej mieszkanie przy Notre-Dame-de-Lorette i to ja je urządziłem wedle jej gustu...

— Miała wtedy dwadzieścia pięć lat?

— Tak. Ja miałem trzydzieści dwa... Mój ojciec żył jeszcze i bardzo mało zajmowałem się naszym interesem, bo to brat, Gaston, kierował biurem paryskim.

— Gdzie i jak ją pan poznał?

— Spodziewałem się tego pytania i wiem, co pan sobie pomyśli... Poznałem ją na Montmartrze, w lokalu, który już nie istnieje, a nazywał się „Nowy Adam".

— Ona tam występowała?

— Nie... Była fordanserką. Co nie znaczy, że wychodziła z gośćmi, którzy sobie tego życzyli... Siedziała sama przy stoliku, smutna, prawie nie umalowana, w prostej, czarnej sukience. Była tak nieśmiała, że wahałem się, czy mogę do niej zagadać...

— Spędził pan z nią wieczór?

— Oczywiście. Opowiedziała mi o dzieciństwie...

— I mówiła, że skąd pochodzi?

— Z La Rochelle... Ojciec, rybak, zginął, gdy rozbił się statek, a ona ma czworo młodszego rodzeństwa.

— A matka? Założę się, że nie żyje...

Courcel rzucił mu gniewne spojrzenie.

— Jeśli życzy pan sobie, bym mówił dalej...

— Pan wybaczy. Ale musi pan zrozumieć, że to wszystko bzdury...

— Nie ma czworo rodzeństwa?

— Nie... I nie musiała pracować w kabarecie na Montmartrze, żeby je wychować... Bo tak panu mówiła, nieprawdaż?

Z ociąganiem siadł, ze spuszczoną głową.

— Trudno mi w to uwierzyć... Kochałem ją do szaleństwa...

— Mimo to ożenił się pan?

— Ożeniłem się z jedną z moich kuzynek, to prawda... Czułem, że się starzeję. Chciałem mieć dzieci...

— Mieszka pan w Rouen?

— Przez większą część tygodnia.

— Ale nie we czwartki...

— Skąd pan wie?

— We czwartki szedł pan z Josée na kolację, a potem kino albo teatr i wracał pan na Notre-Dame-de-Lorette, spędzić tam noc...

— Zgadza się. Chciałem z nią zerwać, ale nie czułem się na siłach...

— Pańska żona jest zorientowana?

— Nie, oczywiście, że nie.

— A pański brat?

— Musiałem Gastona wtajemniczyć, bo oficjalnie odwiedzam wtedy nasze biuro w Marsylii.

I tu grubasek dodał z naiwną szczerością:

— On mi wymyśla od idiotów...

Maigret zdołał powstrzymać uśmiech.

— Kiedy sobie pomyślę, że jeszcze przed chwilą niemal płakałem przed tamtym, który...

— Florentin nie był jedyny...

— Co pan próbuje insynuować?

— Gdyby inaczej umarła, zostawiłbym pana w nieświadomości, panie Courcel. Ale zamordowano ją. Moje zadanie to odnaleźć tego, który ją zabił, a da się to zrobić jedynie w atmosferze prawdy...

— I wie pan, kto strzelał?

— Jeszcze nie... Nie licząc Florentina, czterech z was regularnie ją odwiedzało.

Tamten potrząsnął głową, jakby ciągle jeszcze nie mógł uwierzyć.

— Był taki czas, że chciałem ją poślubić... Gdyby nie Gaston, to prawdopodobnie...

— Środa była dniem zarezerwowanym dla pewnego wyższego urzędnika, który zresztą nigdy u niej nie nocował...

— Rozmawiał pan z nim?

— Dziś rano.

— Przyznał się?

— Nie ukrywał ani swoich wizyt, ani ich charakteru.

— W jakim jest wieku?

— Pięćdziesiąt pięć lat... A spotkał pan kiedyś, w windzie lub w mieszkaniu, kuternogę?

— Nie.

— Bo był też kuternoga, w średnim wieku, którego niebawem odnajdę, jeśli moi inspektorzy już go nie mają...

— I kto jeszcze? — westchnął, jakby spieszno mu było z tym skończyć.

— I jeszcze rudzielec, najmłodszy z was. Ma raptem około trzydziestki i pracuje w towarzystwie ubezpieczeniowym.

— Przypuszczam, że nie znał jej pan za życia?

— Zgadza się.

— Gdyby ją pan znał, zrozumiałby pan moje zmieszanie. Mógłbym przysiąc, że to chodząca uczciwość... Uczciwość granicząca z naiwnością...

— Dawał jej pan na utrzymanie?

— Musiałem bardzo nalegać, by zgodziła się przyjąć... Chciała pracować w sklepie, chyba w salonie bieliźniarskim. Ale zdrowie jej nie dopisywało. Zdarzało się, że dostawała zawrotów głowy... Zawsze uważała, że za dużo jej daję...

Nagle zaświtała mu myśl, której przedtem nie brał pod uwagę.

— A ci inni?... Oni także...?

— Obawiam się, że tak, panie Courcel. Każdy z was ją utrzymywał, może oprócz rudzielca, o czym niebawem się dowiem... W każdym razie dotyczy to urzędnika, którego dziś rano poznałem.

— To co robiła z pieniędzmi? Miała takie małe potrzeby...

— Zaczęła od tego, że kupiła kamienicę przy ulicy Mount-Cenis. A po śmierci znaleziono w jej mieszkaniu czterdzieści osiem tysięcy franków... Niech się pan postara opanować wzburzenie i pomyśli teraz... Nie chcę pytać, gdzie pan był wczoraj między trzecią a czwartą po południu...

— W moim samochodzie, w drodze z Rouen, tak około kwadransa po trzeciej to ja musiałem przejeżdżać przez tunel Saint-Cloud...

Przerwał gwałtownie i z osłupieniem spojrzał na Maigreta.

— Czy to ma znaczyć, że pan mnie podejrzewa?

— Nie podejrzewam nikogo, a moje pytanie to czysta formalność... O której przybył pan do biura?

— Nie pojechałem wprost do biura. Zatrzymałem się na trochę w barze przy Ponthieu, gdzie mam zwyczaj obstawiać wyścigi... Na bulwarze Voltaire'a chyba byłem jakiś kwadrans po piątej... Na papierze jestem wspólnikiem brata. Dwa razy na tydzień bywam w fabryce. Przy bulwarze Voltaire'a mam gabinet i sekretarkę, ale interesy i beze mnie szłyby równie pomyślnie...

— Brat nie ma o to żalu?

— Przeciwnie. Im mniej robię, tym bardziej jest zadowolony, bo czuje się jedynym szefem...

— Jakiej marki jest pański wóz, panie Courcel?

— Jaguar. Kabriolet. Zawsze miałem kabriolety. Jasnobłękitna karoseria... Podać numer rejestracyjny?...

— To nie jest konieczne.

— Kiedy sobie pomyślę, że nie tylko Josée, ale i jej rzekomy brat... Jak się nazywa?

— Florentin. Jego ojciec robił najlepsze ciastka w Moulins.

Zacisnął krótkie palce.

— Spokojnie... Jeśli nie zajdzie nic nieprzewidzianego, pana nazwisko nie zostanie ujawnione, a wszystko, co tu mówimy, pozostanie tajemnicą... Pańska żona jest zazdrosna?

— Bez wątpienia, choć nie jakoś szczególnie. Podejrzewa, że miewam jakieś przygody w Marsylii lub w Paryżu.

— I miewa pan, przy Josée?

— Zdarza się. Jestem ciekawy świata, jak większość mężczyzn...

Zaczął rozglądać się za kapeluszem, który zostawił w poczekalni. Maigret sam go tam zaprowadził, z obawy by nie rzucił się na Florentina.

Ten zaś posępnie przyglądał się im obu, jakby chciał odgadnąć, czy Courcel się wygadał.

Kiedy przemysłowiec zniknął, inspektor Dieudonne, który wstał na widok Maigreta, zapytał:

— Mam zdać raport?

— A było coś ważnego?

— Nie. Po śniadaniu w narożnej knajpce wrócił do siebie i dopiero o wpół do dziesiątej wsiadł w metro, żeby tu przyjechać. Pytał wtedy o pana. Ten drugi przyszedł, uścisnęli sobie dłonie. Nie słyszałem, o czym rozmawiali...

— To masz już wolne na dziś.

I Maigret dał znak Florentinowi.

— Wejdź.

Wprowadził go do pokoju, zamknął drzwi i długo mu się przyglądał. Florentin dalej spuszczał głowę, a jego wielkie kościste ciało sprawiało wrażenie wiotkiego, jakby zaraz miał
. się osunąć na ziemię.

— Jeszcze większy łajdak z ciebie, niż myślałem...

— Wiem...

— Po co to robisz?

— Nie wiedziałem, że go tu spotkam.

— A po co przyszedłeś?

Podniósł głowę, żałośnie spojrzał na Maigreta.

— Ile twoim zdaniem zostało mi w kieszeni?

— To mało ważne.

— Przeciwnie, bardzo ważne... Została mi dokładnie jedna moneta półfrankowa. A w całej dzielnicy nie ma sklepu, knajpy czy restauracji, gdzie dostałbym na krechę...

Teraz przyszła kolej na komisarza — osłupiał niemal tak, jak krótko przedtem ów poczciwy grubasek.

— I przyszedłeś prosić mnie o pieniądze?

— A kogo mam, twoim zdaniem, prosić w tej sytuacji? I pewnie mówiłeś temu nadętemu kretynowi Paré, że nie jestem bratem Josée...

— Oczywiście.

— Utrata złudzeń musiała nim wstrząsnąć...

— On w każdym razie ma twarde alibi. Wczoraj między trzecią a czwartą był w swoim biurze.

— Gdy ujrzałem, jak ten prosiaczek wchodzi do poczekalni, pomyślałem sobie, że jest jeszcze nadzieja...

— Koszty pogrzebu!... Nie wstyd ci?

Florentin wzruszył ramionami.

— Po co zaraz mówić o wstydzie?... Liczyłem się z tym, że ci o tym opowie. Ale skoro byłem pierwszy, miałem nadzieję, że wejdę przed nim...

Zamilkł, a Maigret stanął przy oknie. Rzadko kiedy powietrze na dworze wydawało mu się tak czyste.

— Co się stanie z tymi czterdziestoma ośmioma tysiącami franków?

Komisarz aż podskoczył. Czy naprawdę Florentin mógł w takiej chwili myśleć o pieniądzach?

— Ty nie zdajesz sobie sprawy, że znalazłem się bez środków do życia? Z tych antyków mam od czasu do czasu tylko parę groszy... Po co mam cię oszukiwać... To była podkładka...

— Wiem o tym.

— No więc, zanim się znów zakręcę...

— A co masz zamiar robić?

— W razie potrzeby najmę się do skrzynek z warzywami w Halach...

— Uprzedzam cię, że nie wolno ci opuszczać Paryża.

— Ciągle jestem podejrzany?

— I zostaniesz, aż zabójca nie znajdzie się pod kluczem... Ty naprawdę nic nie wiesz o tym kuternodze?

— Josée mówiła o nim tylko z imienia, Victor... Nigdy nie wspominał ani o żonie, ani o dzieciach. Nie wiedziała, czym się zajmuje, ale robił wrażenie bardzo bogatego. Ubranie dobrze skrojone, koszule szyte na miarę... Raz, wyjmując portfel, upuścił miesięczny bilet na trasie Paryż-Bordeaux...

To był jakiś punkt zaczepienia dla inspektorów. Na trasie Paryż-Bordeaux nie było chyba aż tak wielu posiadaczy biletu miesięcznego.

— No widzisz... Pomagam ci, jak mogę...

Maigret zrozumiał, z kieszeni wyciągnął portfel i wyjął stufrankowy banknot.

— Postaraj się, żeby ci to na trochę starczyło.

— A dalej każesz mnie śledzić?

— No tak...

I uchylił drzwi do pokoju inspektorów.

— Leroy...

Dał mu instrukcje, ale nie udało mu się tym razem uniknąć ręki, którą mu podał dawny szkolny kolega.

4

O trzeciej Maigret stał przy otwartym oknie, tak jak lubił, z fajką w zębach i rękoma w kieszeni.

Słońce świeciło, niebo było nadal jednolicie błękitne, bez jednej chmurki, a mimo to krople deszczu zaczęły spadać pod kątem, daleko jedna od drugiej, i rozbijając się o ziemię, pozostawiały duże czarne plamy.

— Wchodź, Lucas — rzucił bez odwracania głowy, na odgłos uchylania się drzwi.

Posłał go na górę, na poddasze Pałacu Sprawiedliwości, by sprawdził w kartotekach, czy Florentin figuruje w rejestrze skazanych.

— Trzy wyroki, szefie, ale nic naprawdę poważnego.

— Wyłudzenia?

— Pierwszy wyrok, przed dwudziestu dwu laty, za czek bez pokrycia. Mieszkał w umeblowanych pokojach przy alei Wagram i wynajmował biura na Polach Elizejskich. Zajmował się importem egzotycznych owoców. Sześć miesięcy w zawieszeniu. Osiem lat później skazany na rok za wyłudzenie i sprzeniewierzenie. Mieszkał wtedy na Montparnasse, w małym hoteliku. Wyrok bez zawieszenia. Odsiedział. Pięć lat temu znów czek bez pokrycia... Nie ma stałego miejsca zamieszkania...

— Dziękuję ci.

— Ma pan jeszcze coś dla mnie?

— Pójdziesz na Notre-Dame-de-Lorette i przesłuchasz sklepikarzy. Janvier już tam był, ale w innym celu. Chcę wiedzieć, czy wczoraj między trzecią a czwartą ktoś widział jasnobłękitnego jaguara, kabriolet, zaparkowany na ulicy lub w tych przyległych. Popytaj też w garażach parkingowych.

Znowu sam, zamyślił się. Specjaliści od Moersa nie osiągnęli żadnych wyników. Jak było do przewidzenia, w całym mieszkaniu pełno było odcisków palców Joséphine Papet.

Ale ani śladu na klamkach, ktoś musiał je starannie przetrzeć.

Odciski palców Florentina w garderobie i w łazience, ale żadnych na szufladzie nocnego stolika, skąd morderca musiał wziąć rewolwer.

Gdy komisarz pierwszy raz wszedł do tego mieszkania, uderzyła go panująca tam czystość. A Joséphine Papet nie zatrudniała ani służącej, ani sprzątaczki. Pomyślał, że pewnie całymi rankami sprzątała pokoje, w chusteczce na głowie, podczas gdy radio grało przyciszonym głosem...

Teraz miał minę zrzędy, jak zawsze, gdy był z siebie niezadowolony — bo po prawdzie miał skrupuły.

Czy gdyby Florentin nie był jego kolegą szkolnym z Moulins, nie wziąłby od sędziego śledczego nakazu zatrzymania go?

Syn cukiernika nigdy nie był, jak to się określa, jego bliskim przyjacielem. Już w gimnazjum młody Maigret miał co do niego mieszane uczucia.

Florentin był niby zabawny, rozśmieszał klasę, nie wahał się narazić na karę, by ich rozweselić.

Ale czy w jego zachowaniu nie było jakiegoś wyzwania, nawet zaczepności?

Drwił sobie ze wszystkiego, komicznie naśladował wyraz twarzy i tiki profesorów. Zawsze miał wesołe odpowiedzi. I śledził reakcje na nie, bo byłby chyba zawiedziony, gdyby tych wygłupów nie przyjmowano z gromkim śmiechem.

Czy już wówczas nie był na marginesie? Czy nie czuł się inny niż wszyscy? Czy nie stąd jego humor już wtedy często przechodził w zwykłą obrazę?

W Paryżu, już jako dorosły, się nie zmienił i miał okresy mniej lub bardziej pomyślne, łącznie z więzieniem.

Nie przyznawał się jednak do porażki, nadal robił za lepszego, nawet w wytartym ubraniu zachował wrodzoną elegancję.

Kłamał, nie zdając sobie z tego sprawy. Zawsze kłamał i nie był zakłopotany, gdy przyłapano go na tym. Zdawało się, że chce wówczas rzucić: „A tak ładnie to wymyśliłem! Szkoda, że się nie udało..."

Zapewne często bywał u Fouqueta i w podobnych barach na Polach Elizejskich, w tych różnych nocnych lokalach, gdzie nabiera się pozorów pewności siebie.

Maigret podejrzewał, że w środku nie jest taki pewny. Jego rola błazna była fasadą, chroniącą go przed bezlitosną prawdą.

To nieudacznik, typowy, a co gorsze i boleśniejsze: podstarzały nieudacznik.

Czy to przez litość Maigret nie kazał go aresztować? A może dlatego, że Florentin, choć inteligentny, nazbierał przeciw sobie zbyt wiele dowodów winy?

Choćby to, że zabrał oszczędności Josée, a pudełko po biszkoptach owinął w gazetę z tego samego dnia. Nie mógł wymyślić lepszej skrytki, nie w tej swojej ruderze przy bulwarze Rochechouart, gdzie policja musiała przecież przeprowadzić rewizję?

I ten kwadrans, kiedy po strzale czekał w garderobie...

Może bał się stanąć twarzą w twarz z zabójcą?

I wybrał Maigreta, gdy prosiło się wręcz zawiadomić dzielnicowy komisariat...

Maigret miał wszelkie podstawy do aresztowania go. Przecież pojawiła się właśnie osoba rudzielca, młodego człowieka, który mógł zająć jego miejsce, a więc pozbawiłby go kawałka chleba.

Janvier zapukał, wszedł, nie czekając na odpowiedź, i padł na krzesło.

— Nareszcie, szefie.

— Kuternoga?

— Tak... Bóg wie, ile telefonów wykonałem, parę rozmów z samym tylko Bordeaux. Na kolei musiałem niemal paść na kolana, żeby zechcieli pogrzebać wśród posiadaczy biletów miesięcznych...

Zapalił papierosa, wyprostował nogi.

— Mam nadzieję, że znalazłem tego właściwego kuternogę... Nie wiem, czy dobrze zrobiłem, ale kazałem mu przyjść do pana. Ma być tutaj za kwadrans.

— Wolałbym rozmawiać z nim u niego.

— Mieszka w Bordeaux. W Paryżu wynajmuje apartament w hotelu Scribe, dwa kroki od biura, które ma na ulicy Auber.

— Kto to taki?

— Jeśli moje informacje są dokładne, to ktoś ważny w Bordeaux, na Chartrons — tym wybrzeżu, gdzie mieszczą się wszystkie prywatne rezydencje starych tamtejszych rodzin. Jak się łatwo domyślić, jest hurtownikiem win, eksportuje głównie do Niemiec i do Skandynawii...

— Rozmawiałeś z nim?

— Tylko telefonicznie.

— Był zdziwiony?

— Najpierw potraktował mnie z góry i spytał, czy to ma być żart. Gdy go zapewniłem, że naprawdę jestem z kryminalnej i pan chce go widzieć, oświadczył, że nie ma pojęcia, co policja może chcieć od niego i niech się trzyma z daleka, bo narobi sobie kłopotów. Wtedy wspomniałem mu o ulicy Notre-Dame-de-Lorette...

— Jak zareagował?

— Najpierw zapanowało milczenie, a potem wymamrotał: „To kiedy komisarz Maigret chce ze mną rozmawiać?" Odparłem, że jak najszybciej. A wtedy on: „Dokończę tylko korespondencję i wpadnę na Quai des Orfevres..."

Janvier dorzucił:

— Nazywa się Lamotte, Victor Lamotte... Jak pan chce, to podczas pańskiej rozmowy z nim zadzwonię do policji w Bordeaux i poproszę o dodatkowe informacje.

— Dobra myśl.

— Nie wygląda pan jakoś na zadowolonego...

Maigret wzruszył ramionami. Przecież tak zawsze było w tej fazie śledztwa, gdy nie rysowało się jeszcze nic konkretnego... Oprócz Florentina, jeszcze wczoraj nie znał żadnego z tych ludzi.

Tego ranka przyjął małego poczciwego grubasa, sprawiającego dość pocieszne wrażenie. Co stałoby się z tym Courcelem, gdyby nie miał szczęścia urodzić się synem fabrykanta łożysk kulkowych? Zostałby komiwojażerem? A może takim jak Florentin, ni to pasożytem, ni to oszustem?...

Joseph obwieścił, że ktoś do niego, wyszedł mu więc naprzeciw. Mężczyzna rzeczywiście kulał. Maigret zaskoczyły też jego siwe włosy i zwiotczała twarz, wiek ocenił na sześćdziesiątkę.

— Proszę, panie Lamotte. Wybaczy pan, że go fatyguję... Mam nadzieję, że pozwolili panu zaparkować na dziedzińcu?

— To już sprawa mojego kierowcy.

Jasne! Taki człowiek musiał mieć kierowcę, a w Bordeaux niewątpliwie całą służbę.

— Przypuszczam, że wie pan, o czym chcę z panem porozmawiać?

— Jeden z pańskich inspektorów wspominał mi o ulicy Notre-Dame-de-Lorette. Nie bardzo zrozumiałem, co miał na myśli.

Maigret siadł za biurkiem i nabił fajkę, a jego rozmówca zajął krzesło naprzeciwko, twarzą do okna.

— Znał pan Joséphine Papet...

Nastąpiło długie wahanie.

— Zastanawiam się, skąd mógł się pan dowiedzieć.

— Nie wątpi pan chyba, że mamy swoje metody prowadzenia śledztwa, inaczej więzienia świeciłyby pustkami.

— Nie podobają mi się te ostatnie słowa. Jeżeli coś pan sugeruje...

— Bynajmniej... Czytał pan dzisiejsze gazety?

— Jak wszyscy.

— Czyli wiadomo panu, że Joséphine Papet, dla znajomych Josée, została wczoraj po południu zamordowana w swoim mieszkaniu. Gdzie pan wtedy był?

— W każdym razie nie u niej...

— W swoim biurze?

— O której godzinie?

— Powiedzmy między trzecią a czwartą.

— To spacerowałem po Wielkich Bulwarach.

— Samotnie?

— Dziwi to pana?

— Często odbywa pan takie spacery?

— Ilekroć jestem w Paryżu, przez godzinę rano, a potem kolejną po południu. Mój lekarz potwierdzi, że to on zalecił mi więcej wysiłku fizycznego. Byłem znacznie bardziej otyły niż teraz i groziła mi niewydolność serca.

— Zdaje więc pan sobie sprawę, że nie ma alibi?

— Czyżby było mi potrzebne?

— Jak wszystkim kochankom Josée...

Nie żachnął się, zachował niewzruszony spokój, po prostu spytał:

— Było nas więcej?

W głosie wyczuwało się ironię.

— Czterech, o ile mi wiadomo, nie licząc tego, który z nią mieszkał.

— A ktoś z nią mieszkał?

— Jeśli mam dobre informacje, pańskim dniem była sobota, bo każdy miał raczej stały dzień.

— Jestem osobą zorganizowaną. Żyję według przyzwyczajeń. W soboty, po odwiedzinach u Josée, wsiadam do pociągu pośpiesznego do Bordeaux i wieczorem jestem w domu...

— Jest pan żonaty, panie Lamotte?

— Żonaty i dzieciaty. Jeden z moich synów pracuje ze mną, w naszych składach w Bordeaux. Drugi jest przedstawicielem w Bonn i często jeździ na północ. A zięć mieszka w Londynie z moją córką i dwojgiem wnuczat.

— Od dawna znał pan Joséphine Papet?
— Od jakichś czterech lat.
— Kim była dla pana?

Z pobłażaniem, a nawet z odcieniem pogardy rzucił:

— Odskocznią...
— Chce pan powiedzieć, że nie darzył jej pan żadnym uczuciem?
— Słowo „uczucie" wydaje mi się mocno przesadzone.
— A gdy zastąpimy je słowem „sympatia"?...
— Była miłą towarzyszką, i do tego dyskretną. Tak dyskretną, że zdziwiłem się, gdy mnie pan zidentyfikował... Mogę się dowiedzieć, kto o mnie wspominał?
— Zaczęło się od tego, że w soboty bywał ktoś kulawy...
— Spadłem z konia, mając siedemnaście lat.
— I ma pan kolejowy bilet miesięczny...
— Rozumiem... Nietrudno znaleźć kulawego posiadacza biletu miesięcznego na trasie Paryż-Bordeaux.
— Jedno mnie dziwi, panie Lamotte. Mieszka pan w hotelu Scribe i mógłby pan w barach w okolicy poznać kobiety ładne i chętne...

Jego rozmówca z nabrzeża Chartrons nie oburzał się, cierpliwie, choć nie bez lekkiej wzgardy, odpowiadał na pytania. W końcu Chartrons jest w Bordeaux odpowiednikiem paryskiego Faubourg Saint-Germain z szacownymi dynastiami.

Dla Lamotte'a Maigret był zwykłym policjantem. Tacy też są, rzecz jasna, potrzebni, aby chronić mienie obywateli, ale pierwszy raz mu się zdarzyło wejść w styczność z takimi ludźmi.

— Jak się pan właściwie nazywa?
— To mało istotne... Maigret, jeśli panu na tym zależy.
— A więc, panie Maigret, jestem człowiekiem zorganizowanym, wychowanym wedle pewnych zasad, dziś może niemodnych. Nie mam zwyczaju bywać w barach. Może się to panu wyda dziwne, ale od studenckich czasów moja noga nie postała w żadnej kawiarni w Bordeaux... A co do przyprowa-

dzenia jednej z tych pań, o których pan wspominał, do mojego apartamentu w hotelu Scribe, przyzna pan, że nie byłoby to przyzwoite i mogłoby się wiązać z pewnym ryzykiem.

— Ma pan na myśli szantaż?

— Przy mojej pozycji muszę się z tym liczyć.

— Ale co tydzień odwiedzał pan Josée przy Notre-Dame-de-Lorette?

— Ryzyko było tu mniejsze, prawda?

Maigret zaczynał tracić cierpliwość.

— Słabe miał pan jednak o niej informacje...

— Wolałby pan, gdybym poprosił was o przeprowadzenie wywiadu odnośnie jej osoby?

— Gdzie ją pan poznał?

— W wagonie restauracyjnym.

— Jechała do Bordeaux?

— Wracała stamtąd... Znaleźliśmy się przy dwuosobowym stoliku. Sprawiała bardzo przyzwoite wrażenie, a gdy podałem jej koszyczek z pieczywem, spoglądała na mnie początkowo nieufnie... Potem tak się złożyło, że usiedliśmy w jednym przedziale...

— Miał pan uprzednio kochankę?

— Nie uważa pan, że jest to pytanie impertynenckie, bez związku z pańskim dochodzeniem?

— Woli pan nie odpowiadać?

— Nie mam nic do ukrycia... Miałem jedną, z moich byłych sekretarek, którą urządziłem w kawalerce przy alei Grande-Armee. Jakoś tydzień wcześniej oznajmiła mi, że wychodzi za mąż.

— Czyli zwolniło się miejsce?

— Nie podoba mi się pańska ironia i mógłbym już nie odpowiadać na pańskie pytania...

— W takim wypadku może pan tu spędzić więcej czasu, niż pan chciałby...

— Czy to groźba?

— Ostrzeżenie.

— Nie chce mi się wzywać mojego adwokata. Niech pan pyta...

Stawał się coraz bardziej wyniosły, coraz bardziej oschły.

— Jak długo po zawarciu znajomości z Josée zaczął pan u niej bywać?

— Po trzech tygodniach. Może po miesiącu...

— Mówiła panu, że pracuje?

— Nie.

— A z czego niby żyła?

— Z niewielkiej pensji, którą zapewnił jej jeden z wujów.

— A właściwie powiedziała panu, że skąd pochodzi?

— Z okolic Grenoble.

Wychodziło na to, że Joséphine Papet, jak Florentin, odczuwała potrzebę zmyślania. Każdemu podawała inne miejsce urodzenia.

— Dużo jej pan płacił?

— To nie jest najdelikatniejsze pytanie.

— Chciałbym, żeby pan odpowiedział.

— Co miesiąc dawałem jej w kopercie dwa tysiące franków, a raczej zostawiałem na kominku.

Maigret uśmiechnął się. Zdawało mu się, że wraca do swych pierwszych dni w policji, kiedy jeszcze na bulwarach widywało się starszych panów w lakierkach i białych getrach, z monoklem w oku, wyszukujących piękne kobiety.

To była epoka umeblowanych garsonier, utrzymanek, które odznaczały się zapewne taką samą słodyczą, dyskrecją, pogodą ducha jak Joséphine Papet.

Victor Lamotte nie był zakochany. Jego życie koncentrowało się na rodzinie w Bordeaux, w jego surowym domu, a przez kilka dni w tygodniu w hotelu Scribe i w biurze przy ulicy Auber.

Oprócz tego potrzebna mu była oaza, gdzie zrzucałby maskę szanowanego obywatela i rozmawiał otwarcie. Bo z kobietą taką jak Josée można sobie pozwolić na wiele, bez obawy przed konsekwencjami...

— Nie znał pan żadnego z jej gości?

— Nie przedstawiła mi nikogo.

— Mógł pan przypadkowo natknąć się na jednego z nich.

— Jednak do tego nie doszło.

— Bywał pan z nią gdzieś?

— Nie.

— A pański kierowca czekał przed domem?

Wzruszył ramionami, jakby uważał Maigreta za bardzo naiwnego.

— Zawsze jechałem do niej taksówką.

— Wie pan, że nabyła kamienicę na Montmartrze?

— Pierwsze słyszę...

Te sprawy nie interesowały go, pozostawał obojętny.

— Ponadto w jej mieszkaniu znaleziono czterdzieści osiem tysięcy franków.

— Część pochodzi zapewne ode mnie, ale bez obawy, nie zażądam zwrotu.

— Jej śmierć pana nie porusza?

— Prawdę mówiąc, nie... Każdego dnia umierają tysiące ludzi.

Maigret wstał. Miał już tego dość. Jeśli będzie kontynuował przesłuchanie, z trudem przyjdzie mu ukryć obrzydzenie.

— Nie muszę podpisać zeznania?

— Nie.

— A mam się spodziewać wezwania do sędziego śledczego?

— Na razie nie umiem jeszcze panu powiedzieć.

— Jeżeli sprawa trafi przed sąd przysięgłych...

— Z pewnością trafi.

— Pod warunkiem, że znajdzie pan mordercę.

— Znajdziemy go.

— Uprzedzam pana, że zrobię wszystko, by nie zeznawać. Mam wysoko postawionych przyjaciół...

— Nie wątpię w to.

Komisarz podszedł do drzwi i otworzył je szeroko. Lamotte odwrócił się w progu, zawahał, czy ma się pożegnać, ale wyszedł bez słowa.

To trzech już miał! Pozostawał tylko rudzielec. Maigret był zniesmaczony, potrzebował czasu na uspokojenie. Deszcz dawno już przestał padać. Gdy usiadł i bazgrał coś na kartce papieru, do pokoju wfrunęła mucha, może ta sama co wczoraj.

Bazgroły zaczęły układać się w słowo.

Premedytacja.

Jeśli mordercą nie był Florentin, premedytacja nie wydawała się prawdopodobna, bo morderca zjawił się bez broni. Ale był to stały bywalec, wiedział, że w szufladce nocnego stolika leży rewolwer.

No właśnie, może liczył na tę broń?

Zakładając, że Florentin naprawdę się schował, czemu tamten ktoś pozostawał przez trzy kwadranse w sypialni, gdzie nie mógł się ruszyć bez natykania się na zwłoki?

Szukał pieniędzy? To dlaczego ich nie znalazł, skoro wystarczyło wyłamać prościutki zamek w szufladzie?

A może to były listy? Jakieś dokumenty?

Ani urzędnik państwowy, François Paré, ani tłuściutki Fernand Courcel, ani wyniosły Victor Lamotte nie potrzebowali też pieniędzy.

Wszyscy trzej jednak zareagowaliby gwałtownie na uwagę o szantażu.

Ciągle powracał w myślach do Florentina — do Florentina, którego sędzia śledczy, gdyby znał fakty, zaraz kazałby aresztować.

Maigret miał nadzieję, że wreszcie przesłucha rudzielca, Jean-Luca Bodarda, ale inspektor wysłany na jego poszukiwania wrócił z pustymi rękami. Młody agent ubezpieczeniowy krążył po mieście, wrócić miał wieczorem.

Mieszkał w hoteliku Beausejour, a właściwie w pokojach umeblowanych, przy bulwarze Batignolles, stołował się po restauracjach.

Maigret gryzł się, jakby w prowadzonym śledztwie coś nie grało. Niezadowolony z siebie, czuł się fatalnie. Bezsilny na stos raportów do przestudiowania, piętrzących się na biurku, otworzył drzwi pokoju inspektorów.

— Chodź — powiedział do Lapointe'a — weźmiemy samochód.

Dopiero gdy znaleźli się już na nabrzeżu, mruknął:

— Na Notre-Dame-de-Lorette.

Wydawało mu się, że przeoczył coś ważnego, że otarł się o prawdę, nieświadomy tego. Przez całą drogę nie odezwał się ani słowem i tak mocno gryzł fajkę, że rozłupał ebonitowy ustnik.

— Zaparkuj gdzieś wóz i przyjdź do mnie.

— Do mieszkania?

— Do stróżówki.

Monstrualna sylwetka konsjerżki i jej nieruchome oczy nie dawały mu spokoju. Zastał ją w tym samym miejscu co poprzedniego dnia, stojącą za tiulową firanką, którą odchyliła, i cofnęła się dopiero, gdy pchnął drzwi.

Nie spytała, czego chce, zadowalając się spojrzeniem, w którym czaił się wyrzut.

Miała bardzo jasną skórę, ale była to niezdrowa bladość. Czy była „opętana", jak to określają na wsi, z tych niegroźnych przygłupów dawniej spotykanych w wioskach?

Widok jej stojącej na środku jak słup drażnił go.

— Proszę siąść — rzucił zniecierpliwiony.

Spokojnie pokręciła przecząco głową.

— Zadam znowu pani te same pytania co wczoraj. Ale uprzedzam, że jeśli teraz nie powie pani prawdy, grozi pani kara za składanie fałszywych zeznań.

Ani drgnęła, choć zdawało się, że w źrenicach dostrzegł błysk rozbawienia. Najwidoczniej nie czuła przed nim strachu. Nie bała się nikogo.

— Czy między trzecią a czwartą ktoś wchodził na trzecie piętro?

— Nie.

— A na inne piętra?

— Tylko jedna staruszka, do dentysty.

— Zna pani François Paré?

— Nie.

— Wysoki, tęgi, około pięćdziesiątki, rzadkie włosy, czarne wąsy...

— Tak jakby.

— Miał zwyczaj przychodzenia co środę około wpół do szóstej. Był tu wczoraj?

— Tak.

— O której?

— Nie wiem dokładnie. Przed szóstą.

— Długo był na górze?

— Zaraz zszedł.

— I o nic pani nie pytał?

— Nie.

Odpowiadała machinalnie, z kamienną twarzą, nie spuszczając oczu z Maigreta, jakby czekała, że ją złapie na czymś. Była w stanie kogoś kryć? Świadoma była w ogóle znaczenia swych zeznań?

Stawką w tej grze był los Florentina, bo skoro nikt nie wchodził do kamienicy, opowieść kolegi Maigreta z dzieciństwa była zwykłym kłamstwem: nie było dzwonka do drzwi ani gościa, żadnego czekania w szafie, tylko Florentin zwyczajnie zastrzelił przyjaciółkę.

Rozległo się pukanie w szybę. Maigret wpuścił do stróżówki Lapointe'a.

— To mój inspektor — wyjaśnił. — Jeszcze raz niech pani się zastanowi i powie tylko to, co wie na pewno...

Nigdy dotąd nie odgrywała tak ważnej roli i w duszy na pewno się radowała. Bo czyż naprawdę taki szef policji mógł ją niemal błagać o pomoc?

— Ten François Paré nie przyszedł tu wcześniej tego popołudnia?

— Nie.

— Jest pani pewna, że zauważyłaby go?

— Tak.

— Przecież czasem wychodzi pani do kuchni?

— Nie o tej porze.

— A gdzie jest telefon?

— W kuchni.

— To gdyby ktoś dzwonił...

— Nikt nie dzwonił.

— Mówi coś pani nazwisko Courcel?

— Tak.

— Dlaczego jego pani zna z nazwiska, a pana Paré nie?

— Bo on tu prawie mieszkał... Dziesięć lat temu wiele razy nocował na górze i często wychodził z tą Papet.

— Był dla pani miły?

— Mówił dzień dobry, gdy przechodził.

— I woli go pani od pozostałych?

— Był grzeczniejszy.

— Jeszcze teraz często tu nocował we czwartki...?

— To mnie nie obchodzi.

— A był tu wczoraj?

— Nie.

— Zna pani jego samochód?

— Taki niebieski.

Mówiła głosem nijakim, beznamiętnym. Lapointe zdawał się oszołomiony tym zjawiskiem.

— A zna pani nazwisko kuternogi?

— Nie.

— Nigdy nie zatrzymywał się przy stróżówce?

— Nie.

— Nazywa się Lamotte... Jego też pani wczoraj nie widziała?

— Nie.

— Ani rudzielca nazwiskiem Bodard?

— Nie widziałam go.

Maigret miał ochotę nią potrząsnąć, by wydobyć z niej prawdę, jak to się wybiera drobniaki ze skarbonki.

— Krótko mówiąc, twierdzi pani, że Léon Florentin był na górze sam z Joséphine Papet?

— Nie wchodziłam na górę.

To już było irytujące.

— Ale gdy wierzyć pani zeznaniom, to jedyne rozwiązanie.

— Nic na to nie poradzę.

— Nienawidzi pani Florentina?

— To moja sprawa.

— Ktoś mógłby pomyśleć, że kieruje się pani osobistą zemstą.

— Niech sobie myśli, co chce...

Maigret czuł, że gdzieś tu musi być pęknięcie. Jeśli nawet z natury była taka cała, jeśli zazwyczaj mówiła tak monotonnie, używając niewielu słów, coś tu nie grało. Albo kłamała z rozmysłem, z niewiadomych przyczyn, albo nie mówiła wszystkiego, co wie.

Pewne było, że wycofała się, że próbuje przewidzieć pytania.

— Niech mi pani powie, pani Blanc... Czy ktoś pani groził?

— Nie.

— Jeśli zabójca Joséphine Papet groził, że się z panią policzy, gdy coś pani powie...

Potrząsnęła głową.

— Proszę mi dać skończyć... Jeśli powie pani prawdę, aresztujemy go i nic już nie będzie mógł pani zrobić. Ale zachowując milczenie, naraża się pani, bo rozsądniej będzie dla niego panią zlikwidować...

Skąd ta nagła ironia w spojrzeniu?

— Rzadko się zdarza, by morderca zawahał się przed zabiciem niewygodnego świadka. Mógłbym pani przytoczyć dziesiątki wypadków... Jeżeli nam pani nie zaufa, nie damy rady pani obronić...

Przez kilka sekund Maigret się łudził. Wprawdzie nie nabrała cech czysto ludzkich, ale dało się zauważyć coś w rodzaju niezdecydowania, lekkiego drżenia, może wahania.

Czekał niespokojnie.

— I co pani powie? — spytał wreszcie.

— Nic.

To był kres jego wytrzymałości.

— Chodźmy, Lapointe...

Już na ulicy dodał:

— Jestem wręcz pewny, że ona coś wie... Zastanawiam się, czy jest taka głupia, na jaką wygląda...

— To dokąd teraz?

Zawahał się. Przed przesłuchaniem agenta ubezpieczeniowego nie wiedział, jak znów zabrać się do sprawy.

— Na bulwar Rochechouart...

Pracownia Florentina była zamknięta, a malarz pracujący na progu sąsiednich drzwi zawołał do nich:

— Nie ma nikogo!

— Dawno wyszedł?

— Nie wrócił po śniadaniu. Pan jest z policji?

— Tak.

— Dobrze przypuszczałem... Od wczoraj ciągle ktoś się tu kręci po podwórzu i rusza za nim, jak wychodzi... Co przeskrobał?

— Na razie nie wiemy nawet, czy w ogóle coś przeskrobał...

— Ale chyba jest podejrzany!

— Można tak powiedzieć...

Tamten najwidoczniej uwielbiał rozmawiać i tego mu przez cały dzień brakowało.

— Dobrze go pan zna?

— Pogadało się czasem...

— Sporo miewał klientów?

Malarz spojrzał na Maigreta rozbawionym wzrokiem.

— Klientów? Przede wszystkim, skąd by się tu wzięli? Nikt nie pomyśli, by na tym podwórku szukać antyków... A zresztą, co to za antyki... No i rzadko tu bywał. Wpadał tylko od czasu do czasu, by wywiesić kartkę: „Chwilowo nieczynne" albo „Zamknięte do czwartku".

— Ale chyba czasem nocował w tej klitce...

— Czasem tak, bo widywałem go, jak się rano golił. Ja sam mieszkam przy Lamarck...

— I nigdy się panu nie zwierzał?

Zastanowił się, nie przestając machać pędzlami. Był już tak wyrobiony w malowaniu Sacre-Coeur, że robiłby to z zawiązanymi oczami.

— Jedno co pewne, nie lubi swego szwagra.

— Dlaczego?

— Tłumaczył mi, że gdyby go szwagier nie okradł, nie wylądowałby tutaj... Rodzice mieli dobrze prosperujący interes, nie pamiętam już gdzie...

— W Moulins.

— Możliwe... Gdy ojciec przeszedł na emeryturę, firmę objął mąż córki. Miał wypłacać Florentinowi część zysków. Tak było uzgodnione... Ale po śmierci ojca nie płacił już ani grosza...

Maigret przypomniał sobie tę różowiutką, roześmianą dziewczynę, która niegdyś siadywała za kontuarem z białego marmuru i z której powodu chyba tak naprawdę zbyt rzadko zachodził do cukierni.

— Nigdy pana nie naciągał na pożyczki?

— Skąd pan wie?... Ale nie na wielkie sumy... Zresztą nie mógłbym mu dużo pożyczyć. Raz czy drugi po dwadzieścia franków, czasem pięćdziesiąt, ale to rzadko...

— I zwracał?

— Nie nazajutrz, jak obiecywał, ale z parodniowym opóźnieniem... O co jest podejrzany?... Bo pan to komisarz Maigret, co? Od razu pana poznałem, bo widziałem pańskie zdjęcie w gazetach... Skoro aż pan musi się nim zajmować, widać sprawa jest poważna... Morderstwo?... Myśli pan, że kogoś zabił?

— Nie mam pojęcia.

— A moim zdaniem, to nie jest facet zdolny do zabójstwa... Mógł zrobić jakąś głupotę, nie powiem... Chociaż i to nie z własnej winy... On ciągle ma nowe pomysły i widzę, że sam w nie wierzy. Te pomysły zresztą nie zawsze są poronione... No i ponosi go, aż skręci kiedyś kark...

— A nie ma pan przypadkiem klucza do jego pracowni?

— Skąd pan wie?

— Tak się domyślam...

— Raz na rok przychodzi jakiś klient i dlatego zostawił mi klucz. Znam cenę niektórych mebli na sprzedaż.

Poszedł po klucz, który znalazł w szufladzie.

— Mam nadzieję, że on nic nie powie...

— Niech pan będzie spokojny.

Po raz drugi Maigret, z pomocą Lapointe'a, przeszukał pracownię, a potem klitkę. Nie opuścił żadnego zakamarka. W klitce panował słodkawy zapach, takiego mydła do golenia, którego Maigret nie znał.

— Czego szukamy, szefie?

A Maigret odparł zrzędliwie:

— Nie mam pojęcia...

Nikt w okolicy Notre-Dame-de-Lorette nie widział wczoraj błękitnego jaguara... Mleczarka doskonale zna ten samochód. „W każdy czwartek parkuje przed samym sklepikiem — mówiła mi. — No! Dzisiaj mamy czwartek, a ja go nie widziałam... Jeździ nim taki mały grubas. Chyba nic mu się nie stało..."

Janvier składał raport.

— Poszedłem też do garażu na ulicy La Bruyere. Obejrzałem tam wóz zarejestrowany na Joséphine Papet. Dwuletnie renault. Ma tylko dwadzieścia cztery tysiące kilometrów na liczniku i jest jak nowe. W bagażniku pusto. W bocznej kieszeni atlas samochodowy Michelina, para okularów słonecznych i fiolka aspiryny...

— Liczmy na większe szczęście z tym agentem ubezpieczeniowym...

Janvier czuł, że szef grzebie po omacku, i wolał milczeć, zachowując niewinną minę.

— Wezwał go pan? — spytał go jednak w końcu.

— Dopiero wieczorem wraca do hotelu. Możesz tam pójść, powiedzmy około ósmej. Ale możesz też długo czekać... Jak tylko przyjdzie, dzwoń do mnie na Richard-Lenoir...

Było już po szóstej. Biura opustoszały. Kiedy już Maigret sięgał po kapelusz, zadzwonił telefon.

To był inspektor Leroy.

— Szefie, jestem w restauracji na Lapic, właśnie je kolację. Planuję to samo... Popołudnie spędziliśmy w jakimś kinie na placu Clichy, film był idiotyczny... A że wyświetlają bez przerwy, zostaliśmy dwa razy pod rząd...

— Wyglądał na niespokojnego?

— Ani trochę. Od czasu do czasu odwracał się, żeby mi mrugnąć... Jeszcze trochę, a zaproponuje, bym coś z nim zjadł.

— Zaraz poślę kogoś na bulwar Rochechouart, żeby cię zmienił.

— Ja tam nie powiem, żeby mnie to specjalnie męczyło...

— Janvier, zajmij się wysłaniem mu kogoś na zmianę... Nie wiem, kto jest wolny... I nie zapomnij zadzwonić, jak tylko rudzielec wróci do hotelu... Do Beausejour... I lepiej, żeby nie wiedział o twojej obecności...

Maigret zatrzymał się na placu Dauphine, żeby wypić kieliszek przy barze. Po całym dniu miał niesmak, zwłaszcza po rozmowie z Victorem Lamotte.

Chociaż to spotkanie z konsjerżką też nie było lepsze.

— Jeszcze raz...

Machnął do kolegów, którzy w kącie grali w belotkę. Gdy wrócił do domu, nawet nie próbował ukryć złego humoru. Co zresztą nie było możliwe przy pani Maigret.

— I pomyśleć, że to mogło być takie proste! — marudził, wieszając kapelusz.

— Co mogło być proste?

— Aresztowanie Florentina. Każdy na moim miejscu tak by postąpił. Gdybym wyjawił sędziemu śledczemu połowę zarzutów, jakie mam przeciwko niemu, od razu kazałby go aresztować.

— To czemu się wahasz? Bo to twój przyjaciel?

— Żaden przyjaciel. Kolega... — poprawił.

Pykał już fajkę z morskiej piany, którą palił tylko w mieszkaniu.

— I nie o to chodzi...

Zdawało się, że sam szuka prawdziwej przyczyny tego ruchu.

— Wszystko przemawia przeciwko niemu. Za dużo tego przemawia, rozumiesz? I nie podoba mi się ta cała konsjerżka...

Pani Maigret o mało nie wybuchła śmiechem, tak poważnie to zabrzmiało, jakby to był argument koronny.

— Że w naszych czasach można prowadzić taki tryb życia, jak ta dziewczyna... I ci poczciwcy, którzy ją odwiedzali w z góry ustalone dni — trudno w to wręcz uwierzyć...

Miał wszystkim za złe, a Joséphine Papet przede wszystkim, że dała się tak głupio zabić, Florentinowi, że tyle nagromadził przeciwko sobie poszlak, temu szanowanemu Paré, że ma żonę neurasteniczkę, i temu grubaskowi od łożysk kulkowych też, a nade wszystko zarozumiałemu kuternodze z Bordeaux.

Ale ciągle wracał do sprawy konsjerżki.

— Ona kłamie... Jestem pewny, że kłamie albo coś ukrywa. Tylko że nigdy nie puści farby...

— Jedz...

Na kolację był idealnie miękki omlet w ziołach, ale Maigret nie zwrócił nawet uwagi. Sałata była z dodatkiem czosnkowych grzanek, a brzoskwinie soczyste.

— Nie powinieneś tej sprawy brać sobie tak do serca...

Spojrzał na żonę jak ktoś myślami bardzo daleko.

— To znaczy?

— Można by sądzić, że jesteś osobiście zamieszany, że chodzi o kogoś z rodziny...

To rozprężyło go nagle, uświadomiło, jak śmieszne zajął stanowisko, i wreszcie się uśmiechnął.

— Masz rację... Choć to silniejsze ode mnie... Nie znoszę, jak się oszukuje... A tutaj ktoś oszukuje, i to właśnie mnie wkurza...

Zadzwonił telefon.

— O widzisz!...

— Właśnie wrócił do hotelu — zawiadomił Janvier z drugiej strony linii.

Czyli przyszła kolej na rudzielca. Maigret już miał odłożyć słuchawkę, gdy Janvier dorzucił:

— Przyszedł z kobietą...

5

Bulwar Batignolles ze swoimi rzędami drzew był ciemny i pusty, ale na jego końcu widać było, dla kontrastu, wspaniale oświetlony plac Clichy.

Janvier wyszedł z cienia, żarzący się papieros przebijał mrok.

— Oboje przyszli pieszo, pod rękę. On jest niski, ma krótkie nogi, ale żwawy. A dziewczyna młoda i ładna.

— To wracaj do domu, bo twoja żona znów będzie mi miała za złe...

W kiepsko oświetlonym korytarzu Maigret rozpoznał znajomą woń: po przybyciu do Paryża mieszkał na Montparnasse w podobnym hoteliku, *U Śpiącej Królowej*. O jaką królową chodziło? Nikt mu nie umiał powiedzieć. Właściciele pochodzili z Owernii i zaciekle pilnowali, by nikt nie gotował w pokoju...

Był to zapach ciepłych prześcieradeł, stłoczonych istnień ludzkich. Przy wejściu tabliczka z imitacji marmuru anonsowała zupełnie jak w tamtym hotelu:

Pokoje do wynajęcia
Na miesiąc, tydzień i dzień
Pełen komfort
Łazienki

Nie wyjaśniono, że na każdym piętrze była tylko jedna łazienka i chcąc z niej skorzystać, należało czekać w kolejce.

W recepcji kobieta w rannych pantoflach i szlafroku, z włosami jak pakuły, przy wysuwanym biurku robiła dzienne podliczenia, za sobą miała tablicę z kluczami.

— Szukam pana Bodarda...

Nie patrząc na niego, burknęła:

— Czwarte piętro. Numer 68.

Windy nie było. Chodnik na schodach mocno wytarty, a woń coraz ostrzejsza, im wyżej się wspinał. Wreszcie Maigret zapukał do drzwi opatrzonych numerem 68, w końcu korytarza. Początkowo nikt nie odpowiadał. Za trzecim pukaniem rozległ się raczej agresywny głos mężczyzny:

— Kto tam?

— Chciałem rozmawiać z panem Bodardem.

— W jakiej sprawie?

— Lepiej, żebym nie krzyczał przez drzwi i nie informował całego hotelu...

— Nie może pan przyjść kiedy indziej?

— To raczej pilne...

— Kim pan jest?

— Jak pan otworzy, powiem dokładnie.

Słychać było skrzypienie materaca. Drzwi się uchyliły i Maigret ujrzał czuprynę kędzierzawych rudych włosów, oblicze boksera i nagi tors próbujący jakoś się schować za skrzydłem drzwi. Bez słowa wyjął odznakę.

— Chce mnie pan zabrać? — zapytał Bodard, głosem, który nie zdradzał ani strachu, ani zaniepokojenia.

— Raczej zadać tylko kilka pytań.

— Tylko że nie jestem sam... Musi pan poczekać kilka minut...

Drzwi się zamknęły. Maigret słyszał dochodzące z pokoju głosy i ruchy. Minęło z górą pięć minut, nim drzwi otwarły się ponownie, a komisarz podniósł się ze stopni schodów.

— Proszę...

Metalowe łóżko było rozścielone. Przed lusterkiem na toaletce młoda dziewczyna kończyła właśnie czesać ciemne włosy. Maigret odnosił wrażenie, że cofnął się o trzydzieści lat, tak mu to wszystko przypominało tamten hotel *U Śpiącej Królowej.*

Dziewczyna miała na sobie bawełnianą sukienkę i sandały na bosych nogach. Wydawała się nie w humorze.

— Chyba muszę wyjść?

— Lepiej będzie — odparł rudzielec.

— Kiedy mam wrócić?

Bodard spojrzał pytająco na Maigreta.

— Za godzinę?

Komisarz potaknął.

— Poczekaj na mnie w piwiarni...

Zlustrowała Maigreta od stóp do głów wzrokiem, w którym nie było ani cienia życzliwości, wzięła torebkę i wyszła z pokoju.

— Wybaczy pan, że tak nie w porę...

— Nie spodziewałem się was tak szybko... Myślałem, że będziecie potrzebowali dwóch czy trzech dni, by mnie odnaleźć...

Poprzestał na wciągnięciu spodni. Pierś miał nagą, potężną, umięśnioną, wyrównującą niski wzrost. Krótkie były przede wszystkim nogi. On także był boso.

— Proszę usiąść...

Sam usadowił się na skraju rozścielonego łóżka, a Maigret zajął jedyny w pokoju, bardzo niewygodny fotel.

— Pewnie czytał pan gazety?

— Jak każdy.

Nie wyglądał na złośliwego. Jeśli nawet miał nieproszonemu gościowi za złe, że mu przerwał małe tête-à-tête, wyczuwało się, że to z natury dobry chłopak, o jasnych oczach, pełnych optymizmu. Nie należał do tych trapiących się, tragicznie podchodzących do życia.

— Naprawdę pan to Maigret? Wyobrażałem sobie, że jest pan większy... I nie sądziłem, by komisarz bawił się w domokrążcę...

— Jak pan widzi, i tak się zdarza.

— Chce pan na pewno pogadać o tej biednej Josée...

Zapalił papierosa.

— Nikogo pan jeszcze nie aresztował?

Maigret zaśmiał się, bo do tej pory to rudzielec zadawał pytania. Role się jakoś odwróciły.

— Dozorczyni opowiedziała panu o mnie? To nie żadna kobieta, to pomnik, i to nawet taki nagrobny. Na sam jej widok ciarki mi chodzą po plecach...

— Od dawna znał pan Joséphine Papet?

— Chwilę... Teraz mamy czerwiec... To było nazajutrz po moich urodzinach, 19 kwietnia...

— Jak ją pan poznał?

— Dzwoniąc do drzwi. Tego dnia dzwoniłem do wszystkich mieszkań w tej kamienicy. To mój zawód, jeśli to można nazwać zawodem. Pewnie pan słyszał: sprzedaję polisy ubezpieczeniowe.

— Wiem.

— Każdy z nas ma dwie albo trzy dzielnice i całe dni spędzamy na ich obchodzeniu.

— Pamięta pan, jaki to był dzień tygodnia?

— Czwartek... Pamiętam znowu przez moje urodziny, bo miałem tego dnia strasznego kaca.

— Z rana?

— Koło jedenastej.

— Była sama?

— Nie. Był tam jeszcze taki wielki chudy drab. Powiedział jej: „To zostawiam cię samą...", przyjrzał mi się dobrze i wyszedł.

— Pan sprzedaje ubezpieczenie na życie?

— Od wypadków też. I ubezpieczenie na starość, nowa kombinacja, która cieszy się sporym powodzeniem. Od niedawna pracuję w tej branży. Przedtem byłem kelnerem w kawiarni.

— Dlaczego zmienił pan zawód?

— Jak to się mówi, żeby zmienić coś... Byłem już handlarzem na jarmarkach. Tam potrzebne jest jeszcze lepsze gadanie niż przy ubezpieczeniach, ale ubezpieczenia brzmią szacowniej...

— Panna Papet została pańską klientką?

— Nie w tym sensie...

Zaśmiał się.

— A w jakim?

— Zacznijmy od tego, że była w szlafroku, z chustką na głowie i że pośrodku pokoju stał odkurzacz. Zacząłem swoją gadkę i przez cały czas obcinałem ją wzrokiem... Nie była już taka młoda, ale ładniutko zaokrąglona, i wyczułem, że i ona uważała mnie za nieostatniego. Powiedziała, że ubezpieczenie na życie jej nie interesuje z tego prostego powodu, że nie ma spadkobierców i że jej pieniądze dostałby Bóg wie kto... Opowiedziałem jej więc o tym ubezpieczeniu na starość, że można dostać okrągłą sumkę po ukończeniu sześćdziesiątki albo i wcześniej, w razie wypadku lub choroby...

— Kupiła?

— Nie powiedziała ani tak, ani nie. To ja, jak zwykle, poszedłem na całość... Nic na to nie poradzę. Taką mam naturę... Czasem one się oburzają i można nawet dostać po gębie, ale opłaci się próbować, nawet jak uda się tylko co trzeci raz...

— I udało się?

— Na całość...

— A od kiedy zna pan tę młodą osobę, która tutaj była przed chwilą?

— Olgę? Od wczoraj.

— Gdzie ją pan poznał?

— W barze samoobsługowym. Ona jest sprzedawczynią w *Bon Marche*... Przez pana nie dowiedziałem się, co jest warta...

— A ile razy widział się pan z Joséphine Papet?

— Nie liczyłem... Dziesięć? Dwanaście razy?...

— Dała panu klucz?

— Nie. Dzwoniłem do drzwi.

— Nie ustaliła panu określonego dnia?

— Powiedziała mi tylko, że nie ma jej w soboty i niedzie- le... Sam zapytałem, czy ten wysoki, siwy gość jest jej mężem, ale zapewniała, że nie.

— Widział go pan jeszcze potem?

— Dwukrotnie.

— Miał pan okazję z nim rozmawiać?

— On chyba nie przepadał za mną. Patrzył na mnie dość wrednym wzrokiem i wychodził, jak wpadałem... Zapytałem Josée, kim on jest. Odpowiedziała: „Nie martw się o niego. To taki biedak... Przygarnęłam go jak bezdomnego psa". Ja na to: „Ale z nim sypiasz?" „Muszę. Żeby nie było mu zbyt przy- kro... Są chwile, kiedy jest bliski samobójstwa".

Jean-Luc Bodard sprawiał wrażenie szczerego.

— I nie spotkał pan u niej innych mężczyzn?

— Może bywali, ale sam nie widziałem. Umówiliśmy się, że gdy ma gości, uchyli tylko drzwi, ja zaproponuję ubezpie- czenie, a ona powie, że jej to nie interesuje...

— I tak się zdarzyło?

— Dwa albo trzy razy.

— W jaki dzień tygodnia?

— To już byłoby za wiele... Pamiętam tylko, że raz była środa.

— O której?

— O czwartej? Wpół do piątej?...

Środa należała do Paré. Ale ten od żeglugi śródlądowej oświadczył mu, że nigdy nie przychodził na Notre-Dame-de- -Lorette przed wpół do szóstej lub szóstą.

— On pana widział?

— Nie sądzę. Drzwi były ledwie uchylone.

Maigret, zamyślony, przyglądał mu się uważnie.

— Co pan o niej wie?

— Niech pomyślę... Od czasu do czasu coś tam wspomi- nała... Zdaje się, że urodziła się w Dieppe...

Rudzielcowi nie skłamała. Komisarz dzielnicowy dzwonił do Dieppe w sprawie pogrzebu i spadku. Joséphine Papet rzeczywiście urodziła się w tym mieście trzydzieści cztery la-

ta temu, jako córka niejakiego Hectora Papet, rybaka daleko-
morskiego, i Léontine Marchaud, gospodyni domowej.
W mieście nie znano żadnych jej krewnych.

Czemu Bodardowi mówiła prawdę, podczas gdy reszcie
podawała inne miejsca pochodzenia?

— Przez jakiś czas pracowała w nocnym lokalu, potem
poznała dobrze sytuowanego mężczyznę, przemysłowca,
który żył z nią przez kilka miesięcy.

— Nie mówiła panu, z czego się utrzymuje?

— Mniej więcej... Od czasu do czasu odwiedzali ją zamożni przyjaciele.

— Znał pan ich nazwiska?

— Nie. Ale czasem się zwierzała: „Ten kuternoga zaczyna mnie nużyć. Gdyby nie to, że trochę się go boję...”

— Bała się go?

— Nigdy nie była zupełnie spokojna o siebie i stąd w szufladzie nocnego stolika trzymała rewolwer.

— Pokazała go panu?

— Tak.

— Pana się nie bała?

— Żartuje pan? Kto by się mnie bał?

To prawda, miał twarz budzącą sympatię. Nawet jego rude, kręcone włosy, wręcz fioletowe oczy, mocna pierś i krótkie
nogi miały w sobie coś uspokajającego. Nie wyglądał na swoje trzydzieści lat, chyba na zawsze zostanie urwisem.

— Robiła panu prezenty?

Wstał i podszedł do komody, skąd wyjął srebrną papiero-
śnicę.

— To...

— I żadnych pieniędzy?

— No wie pan!

Był rozdrażniony, niemal wściekły.

— Taki mój zawód, zadawać mało przyjemne pytania...

— A zadał je pan temu drabowi?

— Ma pan na myśli Florentina?

— Nie wiedziałem, że nazywa się Florentin... On to owszem, pozwalał się utrzymywać...

— Mówiła panu o nim?

— I to nieraz!

— Myślałem, że go kochała?

— Początkowo może... Cieszyła się, że ma do kogo usta otworzyć, że ma kogoś, kto się nie liczy, przed kim można sobie na wiele pozwolić. Samotne kobiety zwykle mają psa, kota, kanarka. Rozumie pan, co mam na myśli?... Tylko że ten typek Florentin, czy jak mu tam, trochę już przebrał miarkę.

— W jaki sposób?

— Gdy go poznała, podawał się za antykwariusza. Żył nędznie, ale ciągle miał już dostać większe pieniądze. Wtedy jeszcze zdarzało mu się kupować i odświeżać stare meble. Potem przywykł do nieróbstwa. „Jak tylko odzyskam moje dwieście tysięcy franków..." — powtarzał i naciągał ją na kilkadziesiąt franków.

— Skoro go nie kochała, czemu się z nim nie rozeszła?

— Widzi pan, była bardzo sentymentalna, takie jak ona spotyka się już tylko w gazetowych romansach. No... mówiłem panu, jak to było za pierwszym razem. To nie była przecież smarkula, miała doświadczenie, nie? A i tak potem zaczęła szlochać. Nie rozumiałem dlaczego i aż przysiadłem, gdy między jedną łzą a drugą rzuciła: „Ty musisz mną pogardzać..." To się czyta w starych powieścidłach, ale pierwszy raz w życiu słyszałem, żeby kobieta naprawdę użyła takich słów... Ten Florentin to łapał. Kiedy czuł, że przeciąga strunę, robił się bardziej sentymentalny od niej, odgrywał sceny rozpaczy. Czasem wychodził, przysięgając, że nie wróci, że już o nim nie usłyszy, a ona biegła, by go odszukać w jakiejś tam ruderze, którą odnajmował przy bulwarze Rochechouart.

Maigreta nie zdziwił taki portret szkolnego kolegi. Florentin zachował się tak samo, kiedy mu groziło wylanie z gimnazjum. Plotka, choć prawdopodobna, głosiła, że dosłownie rzucił się dyrektorowi do nóg i przysięgał, że takiej hańby nie przeżyje.

— Innym razem wyjął z nocnego stolika rewolwer i udawał, że celuje sobie w głowę. „Ty jesteś moją ostatnią miłością, nie mam już nikogo prócz ciebie..." Zna pan tę śpiewkę? Godzinami, wręcz dniami ona w to wierzyła. Odzyskiwała do niego zaufanie, a potem znowu zaczynała niedowierzać. W gruncie rzeczy to ona trzymała go dlatego, że nie miała nikogo na jego miejsce, a samotność ją przerażała...

— I wtedy poznała pana.

— Tak.

— Widziała w panu ewentualnego następcę?

— Chyba tak... Pytała mnie, czy nadal spotykam się z wieloma przyjaciółkami, czy darzę ją jakimś uczuciem... Nie rzucała mi się na szyję... Było bardziej subtelnie... Wtrącała czasem słówko: „Ty uważasz mnie za staruszkę, co?" A gdy zaprzeczałem, dodawała: „Jestem o pięć lat starsza, a kobieta i tak starzeje się szybciej. Niedługo będę miała zmarszczki..." I znowu mówiła o tym chudym drabie, który pozwalał tam sobie na coraz więcej. „Chce, bym wyszła za niego..."

Maigret wzdrygnął się. — Tak panu powiedziała?

— Tak. Dodała, że jest właścicielką kamienicy, że ma odłożone pieniądze, że on ją skłania do kupna baru lub małej restauracji w okolicy bramy Maillot... O mnie wyrażał się zawsze wzgardliwie, rudzielec albo krótkonogi... „Zobaczysz, skończy się na tym, że cię będzie wodził za nos..."

— Pan mi powie, Bodard, czy był pan u niej wczoraj po południu?

— Rozumiem, panie komisarzu... Chce pan, bym wykazał alibi. Niestety, nie potrafię. Od jakiegoś czasu nie miewałem żadnych dziewczyn poza Josée i przyznam, że to mi nie wystarczało... Wczoraj rano sprzedałem wysoką polisę jakiemuś siedemdziesięcioletniemu poczciwcowi, który bardzo się martwi o przyszłość. Im są starsi, tym bardziej się martwią... A wracając do rzeczy, słońce grzało, zasłużyłem na lepszy posiłek i potem powłóczyłem się trochę... Pospacerowałem bulwarami, od baru do baru. Zaczęło się niezbyt zachęcająco, ale w końcu natknąłem się na Olgę, tę dziewczynę, którą pan widział i która teraz czeka w piwiarni trzy domy stąd... Spotkałem ją dopiero po siódmej. Do tego czasu nie mam alibi...

I z uśmiechem rzucił:

— Zaaresztuje mnie pan?

— Nie. To w sumie Florentin od paru tygodni znajdował się w wątpliwym położeniu?...

— Powiem tylko, że gdybym chciał, zająłbym jego miejsce, ale mnie to nie pociągało.

— Wiedział o tym?

— Wyczuwał konkurencję nosem, tego jestem pewien, bo to niegłupi facet... Zresztą Josée musiała robić aluzje do całej sytuacji...

— I gdyby czuł się zmuszony kogoś zlikwidować, tym kimś byłby chyba pan...

— To brzmi prawdopodobnie... Nie mógł wiedzieć, że na pewno powiedziałbym nie i że powoli odsuwałbym się od tej dobrodusznej kobietki. Nie znoszę takich płaczek...

— Sądzi pan, że to on ją zabił?

— Nie mam pojęcia i nie moja to sprawa. Nie znam też pozostałych. Równie dobrze mógł być jeszcze ktoś, kto miał do niej żal.

— To dziękuję panu.

— Nie ma za co... Pan posłucha, nie mam ochoty się ubierać... Mógłby pan po drodze powiedzieć tej małej, że droga wolna i może wracać?

Pierwszy raz Maigretowi przyszło pełnić taką rolę, ale prośba padła w sposób tak naturalny, tak grzeczny, że nie potrafił odmówić.

— To dobrej nocy.

— Mam nadzieję, że będzie dobra...

Odnalazł piwiarnię, gdzie stali bywalcy grali w karty. Staroświecka, kiepsko oświetlona knajpa, a kelner ironicznie patrzył, jak Maigret kieruje się ku młodej dziewczynie.

— Przepraszam, że tak długo byłem... On na panią czeka...

Oszołomiona, nie wiedziała, co powiedzieć, a on sam skierował się zaraz do drzwi; dopiero przy placu Clichy znalazł taksówkę.

Maigret się nie pomylił, sądząc, że sędzia śledczy Page niedawno został przeniesiony do Paryża. Miał gabinet na najwyższym piętrze Pałacu Sprawiedliwości, gdzie nie przeprowadzono jeszcze modernizacji pomieszczeń. Można było sądzić, że wszystko tu pochodzi sprzed stulecia i ma klimat z powieści Balzaka.

Pisarz kancelarii pracował przy niebarwionym kuchennym stole. Stół przykryto papierem pakowym, przymocowanym pinezkami, a za nim przez uchylone drzwi widać było biuro, całe zawalone aktami, ułożonymi w sterty na podłodze.

Komisarz telefonował nieco wcześniej, aby się upewnić, czy sędzia jest wolny, a ten poprosił go do siebie na górę.

— Niech pan zajmie to krzesło. Jest lepsze... a właściwie najmniej zdezelowane... Było jeszcze drugie do pary, ale się w zeszłym tygodniu rozpadło pod stukilowym świadkiem...

— Pozwoli pan? — zapytał Maigret, zapalając fajkę.

— Proszę...

— No więc poszukiwanie krewnych Joséphine Papet nic nie dało, a zwłok nie można przetrzymywać w zakładzie medycyny sądowej... Mogą minąć tygodnie, a może nawet miesiące, nim dotrze się do jakiegoś dalekiego kuzyna czy kuzynki... Nie sądzi pan, panie sędzio, że najlepiej zarządzić pogrzeb, nawet jutro? Tym bardziej że zmarła nie była bez środków...

— Ja złożyłem w sejfie te czterdzieści osiem tysięcy franków od pana, bo jakoś nie ufam zamkom w tym moim gabinecie...

— I jeśli pan pozwoli, skontaktuję się z przedsiębiorstwem pogrzebowym...

— Ona była katoliczką?

— Léon Florentin, który z nią mieszkał, twierdzi, że nie. Właściwie to do kościoła nigdy nie chodziła...

— Niech mi pan podrzuci potem rachunki... Nie wiem dokładnie, jakie są formalności do załatwienia... Zanotowaliście, Dubois?...

— Tak, panie sędzio.

Teraz następował przykry moment. Maigret nie próbował się od tego wymigać. Przeciwnie, to on zabiegał o spotkanie z sędzią.

— Nie przesłałem panu jeszcze raportu, bo ciągle nie mam pewności.

— Podejrzewa pan tego kochanka, który z nią mieszkał? Jak on się nazywa?

— Florentin... Mam wszelkie podstawy, aby go podejrzewać, a mimo to się waham. To mi się wydaje zbyt łatwe... Ponadto tak się składa, że chodziłem z nim do gimnazjum w Moulins... To inteligentny chłopak, o nieprzeciętnej wrażliwości. Jeśli mu się w życiu nie powiodło, to przez szczególne usposobienie, które nie pozwala mu nagiąć się do żadnej dyscypliny. Jestem przeświadczony, że on żyje jakby w świecie fantazji i niczego nie traktuje poważnie... Figuruje w aktach... Czeki bez pokrycia, wyłudzenie... Odsiedział rok, ale nadal nie wierzę, by mógł kogoś zabić... A na pewno wtedy postarałby się, aby podejrzenie nie padło na niego... Kazałem go śledzić dniem i nocą.

— Wie o tym?

— To mu nawet schlebia, na ulicy odwraca się co jakiś czas, by mrugnąć okiem do tego, kto go śledzi... To był nasz klasowy błazen... Zna pan na pewno takich...

— Są w każdej klasie...

— Tyle że po pięćdziesiątce przestają być zabawni... Odnalazłem też pozostałych kochanków Joséphine Papet. Jeden to dość wysoki urzędnik państwowy, z żoną neurasteniczką. Dwaj inni są zamożni i szacowni, jeden z Bordeaux, drugi z Rouen... Każdy, rzecz jasna, uważał się za jedynego bywalca w mieszkaniu przy Notre-Dame-de-Lorette...

— Wyprowadził ich pan z błędu?

— Nie tylko to, ale dzisiaj rano kazałem im jeszcze doręczyć osobiście wezwanie na konfrontację, na godzinę trzecią w moim biurze. Wezwałem też dozorczynię, jestem pewien, że coś ukrywa. Mam nadzieję, że jutro przyniosę panu coś nowego...

Kwadrans później Maigret był już u siebie i wyznaczał Lucasa do zajęcia się pogrzebem. A wręczając mu banknot, dodał: — Masz! Załatw, żeby były jakieś kwiaty...

Mimo słońca, równie palącego jak w poprzednie dni, nie dało się otworzyć okna przez gwałtowny wiatr, który kołysał konarami drzew.

Ci, którzy otrzymali wezwanie, musieli być w kropce, ale wcale nie podejrzewali, że to Maigret z nich wszystkich był najbardziej niespokojny. Trochę mu ulżyło, gdy się wygadał przed sędzią śledczym. Ciągle jednak targały nim sprzeczne uczucia.

Dwie osoby nieustannie wysuwały się na pierwszy plan: oczywiście Florentin, który jakby ze złośliwą satysfakcją gromadził przeciwko sobie dowody winy, no i ta upiorna konsjerżka, której obraz nie dawał mu spokoju. Co do niej, trzeba sprowadzić ją przez inspektora, bo zdolna była nie odpowiedzieć na wezwanie.

By więcej o tym nie myśleć, przez resztę przedpołudnia wertował zaległe akta i tak się w tym pogrążył, że zdumiony odkrył, iż jest już za dziesięć pierwsza.

Uznał, że zadzwoni do domu z wieścią, że nie przyjdzie na obiad, po czym ruszył do piwiarni Dauphine i zajął miejsce w kąciku. Przy barze siedziało kilku jego współpracowników. I też paru kolegów z obyczajówki.

— Mamy dziś cielęcinę w potrawce — oznajmił mu właściciel. — Może być?

— Doskonale...

— I do tego karafka naszego czerwonego?

Jadł powoli, wśród zgiełku rozmów, czasem przerywanego wybuchem śmiechu. Potem wypił filiżankę kawy z kieliszkiem calvadosu, którym właściciel zawsze go częstował.

Za kwadrans trzecia poszedł po krzesła do pokoju inspektorów i ustawił je w półkole.

— Dobrze to zapamiętaj, Janvier. Zaraz pojedziesz po nią, posadzisz ją w pustym pokoju i wprowadzisz do mnie dopiero, gdy cię zawołam...

— Sądzi pan, że zmieści się w samochodzie? — zażartował inspektor.

Pierwszy pojawił się Jean-Luc Bodard. Był wesoły, pełen wigoru. Kiedy zobaczył ustawione krzesła, zmarszczył brwi.

— Narada rodzinna czy posiedzenie zarządu?

— Jedno i drugie po trochu.

— Czy to ma znaczyć, że zebrał pan wszystkich, którzy...

— W rzeczy samej.

— Mnie pasuje. Ale niektórzy zrobią głupią minę, co?

I rzeczywiście, jeden z nich wchodził właśnie, wprowadzany przez starego Josepha, i rozglądał się wokół siebie z posępną miną.

— Dostałem pańskie wezwanie, ale nie powiedziano, że...

— Faktycznie, nie będzie pan sam. Proszę zająć miejsce, panie Paré...

Tak jak poprzedniego dnia, ubrany był cały na czarno, trzymał się jeszcze sztywniej niż u siebie w biurze i obrzucał rudzielca spojrzeniem, z którego przebijał niepokój.

Przez kolejne dwie czy trzy minuty nie padło ani słowo. François Paré siadł przy oknie, czarny kapelusz trzymał na kolanach. Jean-Luc Bodard, w sportowej marynarce w dużą kratę, zerkał na drzwi, czekając, aż dotrą pozostali.

Następnym był Victor Lamotte, który żachnął się i wściekle spytał Maigreta:

— Czy to jakaś pułapka?

— Proszę, niech pan usiądzie...

Maigret, nieprzenikniony i raczej uśmiechnięty, pełnił honory domu.

— Nie ma pan prawa...

— Może się pan na mnie poskarżyć u moich przełożonych, panie Lamotte. Ale tymczasem zechce pan usiąść...

Jeden z inspektorów wprowadził Florentina, który był równie zaskoczony jak tamci, ale zareagował śmiechem.

— No, coś podobnego!...

Spojrzał na Maigreta i z miną znawcy sprawy mrugnął doń okiem. Dla niego, który kochał zgrywę, ta chyba go przerastała.

— Panowie... — rzucił z błazeńską powagą.

Zajął miejsce obok Lamotte'a, który swoje krzesło zaraz odsunął jak najdalej, dla uniknięcia kontaktu.

Komisarz spojrzał na zegar. Kilka minut minęło od czasu, gdy wybił trzy razy, nim w progu drzwi stanął Fernand Courcel, tak zdziwiony, że pierwszym jego odruchem było odwrócić się na pięcie.

— Proszę, panie Courcel. Niech pan zajmie miejsce... I zdaje się, że jesteśmy w komplecie.

Po drugiej stronie biurka usiadł młody Lapointe, gotów stenografować wszystko, co mogłoby okazać się interesujące.

Maigret także usiadł, zapalił fajkę i bąknął:

— Panowie, możecie też palić...

Tylko rudzielec zapalił papierosa. Zebrani tu wszyscy, tak do siebie niepodobni, tworzyli ciekawy widok. Formalnie w dwóch grupach. Z jednej strony ukochani, Florentin i Bodard, którzy zerkali na siebie. Można rzec, dawny i nowy. Stary i młody.

Czy Florentin wiedział, że ten rudowłosy chłopiec bliski był zajęcia jego miejsca? Nie wyglądało, by czuł do niego żal, spoglądał na niego raczej z sympatią.

Ci trzej z drugiej grupy byli poważniejsi, to oni z uporem szukali na Notre-Dame-de-Lorette odrobiny złudzeń.

Nie widzieli się nigdy, a mimo to żaden nie śmiał przyjrzeć się pozostałym.

— Panowie domyślacie się chyba, po co was tu zebrałem. Miałem okazję przesłuchiwać każdego z panów osobno i poinformować o całej sytuacji. Jest was pięciu i od pewnego czasu wszyscy utrzymywaliście intymne stosunki z Joséphine Papet...

Odczekał chwilę, ale nikt się nie poruszył.

— Poza Florentinem i trochę panem Bodardem, nikt z was nie wiedział o istnieniu pozostałych... Zgadza się?

Tylko rudzielec potaknął. A Florentin zdawał się świetnie bawić.

— Tak się złożyło, że Joséphine Papet nie żyje, za sprawą jednego z was...

Lamotte zerwał się z miejsca i zaczął:

— Protestuję przeciwko...

Wyglądało na to, że zamierza wyjść.

— Potem będzie pan protestował. Proszę siadać. Nie oskarżyłem jeszcze nikogo, stwierdziłem tylko fakt. Każdy z was, poza jednym, twierdzi, że w środę, między trzecią a czwartą, jego noga nie postała w mieszkaniu zmarłej. Ale żaden z panów nie ma alibi...

Paré uniósł rękę.

— Nie, panie Paré. Pańskie też nie trzyma się kupy. Wysłałem jednego z moich ludzi, aby zbadał pańskie biura. Są drugie drzwi, wychodzące na korytarz, co pozwala panu wychodzić, nie zwracając uwagi współpracowników. A gdyby nawet któryś zastał pana biuro puste, sądziłby, że wezwano pana do gabinetu ministra...

Maigret odpalił fajkę, która w międzyczasie zgasła.

— Nie oczekuję, że jeden z was wstanie i przyzna się do winy. Chcę po prostu podzielić się z panami moim zamysłem: jestem przekonany, że nie tylko morderca znajduje się w tym pokoju, ale i ktoś, kto to wie i milczy z nieznanych mi przyczyn...

Kolejno przyjrzał się im. Florentin miał oczy zwrócone do środka półkola, ale nie sposób było orzec, kim się w ten sposób interesuje.

Victor Lamotte siedział jak zahipnotyzowany własnymi pantoflami. Twarz miał bladą, minę raczej przygnębioną.

Courcel z kolei usiłował się uśmiechać, ale wychodził mu jedynie dość żałosny grymas.

Rudzielec się zastanawiał. Widać było, że ostatnie słowa Maigreta uderzyły go i że próbuje uporządkować myśli.

— Ktokolwiek zabił, był stałym bywalcem, skoro Josée przyjmowała go w sypialni. Ale ona nie była wtedy w mieszkaniu sama...

Tym razem obejrzeli się po sobie, po czym zgodnie, wyraźnie nieufnie, zerknęli na Florentina.

— Tak, zgadza się... Léon Florentin był w mieszkaniu, gdy zabrzmiał dzwonek do drzwi, i jak mu się to już parokrotnie zdarzało, ukrył się w garderobie...

Dawny kolega szkolny Maigreta starał się zachować obojętną pozę.

— Słyszał pan męski głos, Florentin?

W tej sytuacji nie mógł zwracać się do niego inaczej.

— W garderobie źle słychać. Tylko odgłosy...

— Co było dalej?

— Po jakimś kwadransie padł strzał...

— I pobiegł pan do sypialni?

— Nie.

— Ale morderca zbiegł?

— Nie.

— I jak długo pozostał jeszcze w mieszkaniu?

— Około kwadransa.

— A czy zabrał czterdzieści osiem tysięcy franków, które znajdowały się w szufladzie sekretarzyka?

— Nie.

Maigret nie uznał za stosowne dodać, że to sam Florentin przywłaszczył sobie te pieniądze.

— Morderca czegoś więc szukał... Przypuszczam, że każdemu z panów zdarzało się pisywać do Josée, chociażby z wakacji, albo żeby objaśnić, że nie dojdzie do jakiejś randki...

Raz jeszcze przyjrzał się kolejno każdemu z nich, a oni siedzieli jak na szpilkach.

Teraz całą uwagę skupiał na poważnych kochankach, tych, którzy mieli do stracenia rodzinę, stanowisko, opinię.

— Zdarzało się panu pisywać, panie Lamotte?

Ten wykrztusił ledwie słyszalne „tak".

— W Bordeaux żyje pan w środowisku trochę ze starego świata, prawda? O ile mi wiadomo, żona dysponuje znacznym majątkiem osobistym, a w kręgu fortun nabrzeża Chartrons jej rodzina notowana jest wyżej od pańskiej. Ktoś groził może panu skandalem?...

— Nie pozwolę panu na...

— Teraz pan, panie Paré. Pisywał pan?

— Owszem, w czasie wakacji.

— Mimo tych wizyt u Josée, jest pan chyba bardzo do żony przywiązany...

— Jest schorowana...

— Wiem. I jestem przekonany, że nie chciałby pan przysparzać jej kłopotów...

Ten zacisnął szczęki, był bliski łez.

— A pan, panie Courcel?

— Jeśli pisywałem, to tylko króciutkie liściki.

— Które też świadczą o pańskich stosunkach z Joséphine Papet... Żona jest od pana młodsza, i pewnie zazdrosna...

— A ja? — ironicznie spytał rudzielec.

— Pan mógł mieć inne powody, żeby ją zabić.

— Na pewno nie zazdrość — oświadczył, patrząc po siedzących w krąg poczciwcach.

— Josée mogła panu wspomnieć o oszczędnościach... Jeśli zdradziła się, że ich nie trzyma w banku, tylko w mieszkaniu...

— To chyba zabrałbym je?

— Albo coś panu przeszkodziło w poszukiwaniach.

— Wyglądam na takiego?

— Większość morderców, jakich znałem, wyglądała na ludzi uczciwych... A co do listów, mógł je pan zabrać w zamiarze szantażowania nadawców... Bo listy znikły, wszystkie listy, nie wyłączając, być może, tych od osób, których nie znamy. Rzadko się zdarza, by ktoś dożył trzydziestu pięciu lat i nie trzymał mniej lub bardziej obfitej korespondencji... Ale w sekretarzyku znaleźliśmy tylko rachunki. Wasze listy, panowie, zostały zabrane, i to przez jednego z was...

Próbując za wszelką cenę nie wyglądać na winnych, przybierali tak nienaturalne pozy, że już to samo robiło z ich podejrzanych.

— Nie żądam od mordercy, by wstał i przyznał się do winy. A w najbliższych godzinach czekam na tego, który coś wie. Choć może nie okaże się to konieczne, bo został nam jeszcze jeden świadek, który zna winnego...

Maigret zwrócił się do Lapointe'a.

— Powiesz Janvierowi?

Czekano w absolutnej ciszy, każdy unikał najdrobniejszego gestu. Nagle zrobiło się bardzo gorąco, a wkroczenie pani Blanc, jeszcze bardziej posągowej niż zwykle, nosiło iście teatralny charakter.

Do sukni koloru szpinaku dobrała czerwony kapelusik przypięty na czubku głowy, a w ręku ściskała torebkę prawie tak wielką jak walizka. Zatrzymała się w progu drzwi i z kamienną twarzą, oczyma pozbawionymi wyrazu powiodła po obecnych.

Na koniec odwróciła się do drzwi, a Janvier musiał ją zatrzymać, by nie wyszła na schody. Przez chwilę można było sądzić, że wezmą się za bary.

Wreszcie kobieta ustąpiła i weszła do pokoju.

— I tak nie mam nic do powiedzenia — oświadczyła, złośliwie spoglądając na Maigreta.

— Zna pani tych wszystkich panów?

— Mnie nie płacą za wykonywanie pana roboty. Pójdę sobie...

— Którego z nich widziała pani we środę między trzecią a czwartą, idącego w stronę windy lub schodów?

W tym momencie nastąpiła rzecz nieoczekiwana. Ta kobieta o upartej minie, o twarzy ciągle niewzruszonej, nie potrafiła nagle opanować czegoś w rodzaju uśmiechu. Bez wątpienia na jej twarzy zarysowało się jakieś zadowolenie, nieomal poczucie zwycięstwa.

Wszyscy się jej przyglądali. Ale który wydawał się najbardziej zaniepokojony? Maigret nie umiał rozstrzygnąć. Każdy reagował inaczej. Victor Lamotte był blady od hamowanej wściekłości. Fernand Courcel, przeciwnie, od paru chwil był czerwony na twarzy. A François Paré był zwyczajnie przytłoczony smutkiem i wstydem.

— Odmawia pani odpowiedzi? — mruknął wreszcie Maigret.

— Nie mam nic do powiedzenia.

— Lapointe, zanotuj to zeznanie...

Wzruszyła ramionami i ciągle z tym tajemniczym błyskiem w oczach rzuciła pogardliwie:

— Mnie pan nie przestraszy...

6

Maigret wstał i podsumował, kolejno przyglądając się zebranym:

— Dziękuję panom, że zechcieliście się tu pofatygować. Wierzę, że nasze spotkanie nie było bezcelowe i jeden z was wkrótce jednak skontaktuje się ze mną.

Odchrząknął głośno.

— Pozostaje mi zakomunikować tym z panów, których to interesuje, że pogrzeb Joséphine Papet odbędzie się jutro o dziesiątej. Wyprowadzenie zwłok z zakładu medycyny sądowej.

Victor Lamotte wyszedł pierwszy, ciągle wściekły, nie patrząc na nikogo i nie żegnając się oczywiście z komisarzem. Na dole zapewne czekała jego limuzyna z kierowcą.

Courcel też się wahał i poprzestał na skinięciu głową, a François Paré, już wychodząc, mruknął, chyba nieświadom słów:

— Dziękuję panu...

Tylko rudzielec podał mu rękę i radośnie zawołał:

— No, no!... Nieźle im pan walnął...

A gdy Florentin został już sam, Maigret rzucił:

— Ty zaczekaj jeszcze chwilę... Zaraz wrócę...

Zostawił go pod okiem Lapointe'a, który nie ruszył się z miejsca za biurkiem, i poszedł do pokoju inspektorów. Gruby Torrence przepisywał akurat raport na maszynie. W skupieniu stukał dwoma palcami.

— Załóż szybko obserwację przed domem na Notre-Dame-de-Lorette... Muszę wiedzieć, kto tam wchodzi i wychodzi... Jak pojawi się ktoś z tych, którzy byli u mnie w biurze, pójdziesz za nim do środka...

— Obawia się pan czegoś?

— Ta konsjerżka na pewno za dużo wie i nie chciałbym, żeby coś się jej przytrafiło.

— A tego Florentina dalej śledzić i trzymać oko na podwórzu?

— Tak... Uprzedzę cię, kiedy z nim skończę...

Wrócił do biura.

— Możesz iść, Lapointe...

Florentin stał przy oknie z rękami w kieszeniach, jak u siebie. Już wrócił do swojej ironii.

— No, ale oni ci się rzucali! W życiu tak się nie ubawiłem...

— Sądzisz?

Ta wesołość dawnego kolegi była wyraźnie wymuszona.

— Zaskoczyła mnie ta konsjerżka. Niełatwo będzie coś z niej wyciągnąć... Myślisz, że ona wie?

— Mam nadzieję... dla twojego dobra.

— Co to znaczy?

— Ona twierdzi, że między trzecią a czwartą nikt nie wchodził. Gdy się przy tym uprze, będę musiał cię aresztować, bo zostaniesz jedynym możliwym winnym...

— Dlaczego kazałeś jej stanąć przed nimi wszystkimi?

— W nadziei, że może ktoś się przestraszy jej słów...

— A o mnie tak się nie boisz?

— Widziałeś mordercę?

— Już ci mówiłem, że nie.

— Poznałeś go po głosie?

— Też ci odpowiedziałem.

— To czego się boisz?

— Byłem w mieszkaniu. Sam im o tym powiedziałeś. Ten facet może pomyśleć, że go rozpoznałem...

Maigret od niechcenia otworzył szufladę biurka i wyciągnął plik zdjęć, które podrzucił mu Moers. Wybrał jedno i podał Florentinowi.

— Przyjrzyj się...

Syn cukiernika z Moulins uważnie studiował zdjęcie, udając, że nie wie, po co mu je dano do oglądania. Pokazywało część pokoju, łóżko, nocny stolik z uchyloną szufladą.

— Na co właściwie mam patrzeć?

— Nic cię tu nie uderza?

— Nie...

— Przypomnij sobie swoje pierwsze zeznania... Dzwonek do drzwi... Ty chowasz się w garderobie...

— Zgadza się.

— Dobrze. Przypuśćmy, że to prawda. Twoim zdaniem Josée i jej gość tylko na chwilę zatrzymali się w saloniku. Przez jadalnię przeszli ponoć do sypialni.

— Tak było...

— Zaczekaj... Twoim zdaniem, nim padł strzał, przebywali tam blisko kwadrans?

Florentin znów spojrzał na zdjęcie, marszcząc brwi.

— To zdjęcie zrobiono krótko po zabójstwie, gdy niczego jeszcze w pokoju nie ruszano... Zerknij na łóżko...

Na wychudłych policzkach Florentina wykwitł lekki rumieniec.

— Nie tylko łóżka nie rozścielono, ale na kapie nie ma ani jednej fałdy.

— Do czego zmierzasz?

— Albo gość przyszedł tylko porozmawiać z Josée, a wtedy zatrzymaliby się w saloniku, albo przyszedł po co innego, ale wtedy łóżko nie byłoby w takim stanie... Powiesz mi więc, co takiego robili w sypialni?

— Nie wiem... — Widać było wyraźnie, że stara się szybko myśleć, szuka riposty. — Wspomniałeś przedtem o listach...

— I co z tego?

— Może przyszedł po swoje listy?

— A ty myślisz, że Josée by mu odmówiła? Uważasz za normalne, że szantażowała tych, którzy jej płacili sporą miesięczną pensję?

— To może weszli do sypialni w innym celu i tam się posprzeczali?

— Słuchaj, Florentin... Znam twoje zeznania na pamięć. Od pierwszego dnia czułem, że coś tu nie gra... Czy zabrałeś listy, tak jak te czterdzieści osiem tysięcy franków?

— Przysięgam ci, że nie. Gdzie bym je schował? Te pieniądze znalazłeś, prawda? Gdybym miał listy, schowałbym je w tym samym miejscu...

— Niekoniecznie... Poklepaliśmy cię po kieszeniach, by się upewnić, że nie masz rewolweru, ale nie rewidowaliśmy cię. O ile pamiętam, świetnie pływasz... A tu nagle skaczesz do Sekwany...

— Miałem wszystkiego dość... Czułem, że mnie podejrzewasz... No i straciłem jedyną osobę pod słońcem, która mnie...

— Już bez tego, co? Zostaw sentymenty.

— Gdy przeskakiwałem przez poręcz, naprawdę chciałem ze sobą skończyć. Może się nie zastanowiłem. Jeden z twoich ludzi mnie śledził...

— O właśnie...

— Co?

— Przypuśćmy, że idąc schować pieniądze na szafie, nie pomyślałeś o listach i miałeś je ciągle w kieszeni... Gdyby je odkryto u ciebie, byłoby to bardzo niebezpieczne. Jak byś się wytłumaczył?

— Nie wiem...

— Wiedziałeś, że będziesz pod obserwacją. Skok do Sekwany, niby w przypływie rozpaczy, i już pozbyłeś się tych papierów, które pójdą na dno, obciążone czymś ciężkim, kamieniem, obojętnie czym.

— Nie miałem tych listów...

— To też jest możliwe i jeśli mówisz prawdę, to by tłumaczyło, po co morderca został przez kwadrans w mieszkaniu. Tylko inny szczegół nie daje mi spokoju...

— Jakie tam nowe oskarżenie wymyśliłeś?

— Odciski palców...

— To, że znaleźli moje odciski, było chyba naturalne, no nie?

— Otóż to, w sypialni ich nie znaleziono, odcisków żadnej innej osoby też nie. A przecież otwierałeś sekretarzyk, żeby wyjąć pieniądze... Morderca otwierał jedną z szuflad, żeby wyjąć listy. Nie mógł być przez kwadrans w pokoju i niczego nie dotykać. A to znaczy, że po jego wyjściu sam przetarłeś wszystkie gładkie powierzchnie, nie wyłączając klamek...

— Nie rozumiem. Ja niczego nie wycierałem... Skąd wiesz, że nikt nie wszedł, gdy ja pognałem do siebie, a potem na policję, do ciebie?

Maigret nie odpowiedział, a widząc, że wiatr osłabł, podszedł otworzyć okno. Odczekał dłuższą chwilę i dopiero spytał:

— Kiedy miałeś zabrać rzeczy?

— Jakie rzeczy? O czym ty mówisz?

— Wyprowadzić się... Rozstać się z Josée, która cię utrzymywała...

— Nigdy nie było o tym mowy...

— Była mowa, sam wiesz najlepiej. Zaczynała dostrzegać, że się starzejesz, a może nawet zrobiłeś się zbyt chciwy...

— To ten podły rudzielec mówił ci o tym?

— Nieważne.

— Tylko on mógł... Od tygodni usiłował wkręcić się do domu...

— Ma swój zawód. Zarabia na życie.

— Ja też.

— Twój zawód to lipa. Ile mebli sprzedajesz w ciągu roku? Ciągle na drzwiach wisi kartka, że cię nie ma.

— Muszę jeździć, żeby kupować towar...

— Bzdura... Joséphine Papet miała już tego dosyć. Liczyła, niesłusznie zresztą, że Bodard zajmie twoje miejsce.

— To jest jego słowo przeciw mojemu...

— Twoje słowo nie jest warte złamanego grosza, już w gimnazjum mogłem się o tym przekonać...

— Nie lubisz mnie, prawda?

— Dlaczego miałbym cię nie lubić?

— Już w Moulins mnie nie lubiłeś... Moi rodzice mieli dochodowy interes. Ja zawsze miałem kieszonkowe... A twój ojciec był właściwie takim służącym w pałacu Saint-Fiacre...

Maigret zarumienił się, zacisnął pięści i mało brakowało, by go uderzył, bo jedyne, na co nigdy nikomu nie pozwalał, to uwłaczanie pamięci jego ojca. Ojciec był w końcu zarządcą w pałacu i administrował przeszło dwudziestoma gospodarstwami.

— Gnojek z ciebie, Florentin...

— Sam zacząłeś...

— Nie zamykam cię na razie w pudle z braku formalnych dowodów, ale wkrótce je znajdę...

Otworzył drzwi pokoju inspektorów.

— Kto się teraz zajmie tą kanalią?

Wstał Lourtie.

— Nie odstępuj go ani na krok, a gdy wróci do domu, zostań pod drzwiami. Załatw, by cię zmienili koledzy.

Florentin, czując, że przebrał miarkę, wymamrotał z pokorą:

— Przepraszam cię, Maigret... Straciłem panowanie nad sobą, nie wiedziałem, co mówię. Gdybyś był na moim miejscu...

Komisarz nie przestawał zaciskać zębów, nie spojrzał nawet na wychodzącego z pokoju Florentina. Po chwili zadzwonił telefon. Sędzia chciał znać wyniki konfrontacji.

— Nie umiem jeszcze ocenić — odparł Maigret. — Jak przy łowieniu ryb, zmąciłem grunt, ale nie wiadomo, co z tego wyniknie. A pogrzeb jest jutro o dziesiątej...

W korytarzu czekali dziennikarze, on jednak nie okazał się równie uprzejmy jak zazwyczaj.

— Jest pan na tropie, panie komisarzu?

— Nawet na kilku...

— I nie wie pan, który jest właściwy?

— Otóż to.

— Sądzi pan, że to zbrodnia z miłości?

Miał wielką ochotę odpowiedzieć, że nie ma zbrodni z miłości. Właśnie o tym w tej chwili myślał. Doświadczenie nauczyło go, że wyszydzony kochanek czy porzucona kobieta zabijają nie z miłości, ale z urażonej dumy.

Tego wieczora razem z żoną oglądał telewizję i posmakował dwa kieliszki nalewki malinowej, którą szwagierka przysłała im z Alzacji.

— Podobał ci się film?

Z trudem powstrzymał się od pytania: „Jaki film?"

Widział jakieś migające na ekranie obrazy, jakieś poruszające się postacie, ale nie potrafiłby opowiedzieć historii.

Nazajutrz, krótko przed dziesiątą, znalazł się, z Janvierem za kółkiem, przed wejściem do zakładu medycyny sądowej.

Florentin, chuda tyka, z papierosem zwisającym w kąciku warg, stał na skraju chodnika w towarzystwie Bonfilsa, inspektora, który przejął właśnie służbę.

Nie zbliżał się do policyjnego wozu. Stał z opuszczonymi ramionami jak człowiek sponiewierany, który nie śmie podnieść głowy.

Zajechał karawan i ci z przedsiębiorstwa pogrzebowego przenieśli trumnę na wózek.

Maigret otworzył tylne drzwiczki.

— Wsiadaj!

A Bonfilsowi powiedział:

— Możesz wracać na Quai... Odstawię ci go.

— Możemy ruszać? — zapytał mistrz ceremonii.

Gdy ruszyli, komisarz w tylnym lusterku dostrzegł tylko jadący za nimi żółty samochód. Dwuosobowy kabriolet z wgniecioną karoserią, za przednią szybą dostrzegł rude włosy Jean-Luca Bodarda.

Bez słowa skierowali się w kierunku Ivry, musieli jeszcze minąć całą długość ogromnego cmentarza. Dół był już wykopany w nowym sektorze, gdzie drzewa nie zdążyły się jeszcze rozrosnąć. Lucas nie zapomniał poleceń Maigreta w sprawie kwiatów, a rudzielec również przyniósł wiązankę od siebie.

W chwili gdy spuszczano trumnę, Florentin ukrył twarz w dłoniach, ramiona kilkakrotnie mu drgnęły. Płakał? To było bez znaczenia, zawsze umiał płakać na zawołanie.

Maigretowi podano łopatę, by wrzucił pierwszą garść ziemi. Niedługo później oba samochody już znalazły się na drodze.

— Wracamy do nas, szefie?

Potaknął. Florentin z tyłu ciągle milczał.

Na dziedzińcu Quai des Orfevres Maigret wysiadł i rzucił do Janviera:

— Zostań tu z nim chwilę. Zaraz przyślę Bonfilsa, który się nim zajmie.

Ze środka auta dotarł pełen wzruszenia głos:

— Maigret, przysięgam, to nie ja ją zabiłem...

Wzruszył na to tylko ramionami i minąwszy oszklone wejście, powoli wszedł po schodach. Bonfilsa zastał w pokoju inspektorów.

— Twój klient czeka na dole. Zajmij się nim znowu...

— A co robić, jak się będzie upierał, by iść razem ze mną?

— Rób, co chcesz, byle go nie stracić z oczu...

Wchodząc do swego biura, ze zdziwieniem ujrzał Lapointe'a, czekającego z zatroskaną miną.

— Niedobrze, szefie...

— Jeszcze jeden trup?

— Nie. Ta dozorczyni zniknęła.

— Kazałem ją przecież śledzić...

— Lourtie dzwonił pół godziny temu... Jest tak wstrząśnięty, że prawie mi płakał...

Jeden ze starszych inspektorów, wyjątkowo sumienny, biegły we wszystkich tajnikach zawodu.

— To jak to się stało?

— Lourtie stał na chodniku po drugiej stronie, kiedy ta baba wyszła bez kapelusza, z torbą na zakupy w ręku. Bez oglądania się weszła najpierw do rzeźnika, gdzie ją chyba dobrze znają, i kupiła sznycel. Dalej bez odwracania się ruszyła ulicą Saint-Georges i weszła potem do takiego włoskiego sklepu spożywczego, a Lourtie czekał przed wejściem... Po dobrym kwadransie zaczął się niepokoić. Wszedł do sklepu, wąskiego i długiego jak kiszka, i przekonał się, że jest drugie wyjście, na skwer d'Orleans i na ulicę Taitbout... Ptaszka, rzecz jasna, ani śladu... Lourtie zadzwonił do mnie, a potem wrócił, by czatować przed domem, zamiast kręcić się daremnie po okolicy. Sądzi pan, że zwiała?

— Na pewno nie...

Maigret podszedł na ulubione miejsce przy oknie i przyglądał się gałęziom kasztanowców, wśród których ćwierkały ptaki.

— To nie ona zabiła Joséphine Papet, nie ma więc żadnego powodu, by uciekać... Zwłaszcza z tą torbą na zakupy. Widocznie miała się z kimś spotkać... Jestem prawie pewny, że to wyszło po wczorajszej konfrontacji. Od początku byłem przekonany, że widziała mordercę, albo kiedy wchodził na górę, albo kiedy schodził, albo nawet za każdym razem... Załóżmy, że on, wychodząc, zastał ją z nosem przylepionym do szyby, z oczyma wybałuszonymi na niego...

— Zaczynam rozumieć.

— Wiedział, że ona będzie przesłuchiwana. Ale to był stały bywalec Joséphine Papet i dozorczyni go znała.

— Sądzi pan, że jej groził?

— To nie jest kobieta, która da się zastraszyć. Wczoraj mogłeś się o tym przekonać... Ale mogę sobie wyobrazić, że się połakomi na pieniądze...

— Skoro wzięła pieniądze, po co miałaby uciekać?

— Przez tę konfrontację.

— Nie rozumiem.

— Morderca tu był, ona go widziała... Wystarczyło słowo, a zostałby aresztowany. Ale wolała milczeć... Założę się, że wpadła na to, że jej milczenie warte jest dużo więcej, niż dotąd otrzymała. I dzisiaj rano postanowiła iść po dopłatę, ale nie mogła tak długo, jak inspektor deptał jej po piętach... Połączcie mnie z hotelem Scribe, z portiernią...

Niedługo później Maigret podniósł już słuchawkę.

— Halo. Portiernia hotelu Scribe?... Tu komisarz Maigret... Co tam dobrego, Jean? Jak dzieci?... Dobrze? To świetnie... U was mieszka taki stały lokator, nazwiskiem Lamotte... Tak, Victor Lamotte... Pewnie wynajmuje apartament miesięcznie, co?... Tak właśnie myślałem. Mogę go prosić?... Że co? Wyjechał wczoraj pośpiesznym do Bordeaux?... Myślałem, że zwykle wyjeżdża z Paryża dopiero w sobotę wieczorem. A nikt rano o niego nie pytał?... I nie widzieliście tam tęgiej kobiety, bez gustu ubranej, z torbą na zakupy w ręku?... Nie, ja nie żartuję... Na pewno?... To dzięki, Jean...

Znał portierów wszystkich większych hoteli paryskich, niektórych pamiętał, gdy zaczynali na etacie boyów hotelowych.

Czyli pani Blanc nie pokazała się w hotelu Scribe. I tak zresztą nie zastałaby handlarza win.

— Połącz mnie z jego biurem na ulicy Auber.

Nie chciał pominąć żadnej szansy, biuro było jednak w sobotę zamknięte, odebrał tylko urzędnik, który odrabiał zaległości. Sam w całym lokalu. Szefa nie widział od wczoraj, od drugiej po południu.

— To odszukaj mi numery firmy „Bracia Courcel. Łożyska kulkowe", bulwar Voltaire'a.

Tym razem lokal musiał być naprawdę pusty. W soboty nie było tam chyba nawet strażnika.

— Powinieneś gdzieś mieć jego adres w Rouen... Ale nie wspominaj, że to z policji... Chcę tylko wiedzieć, czy jest w domu.

Fernand Courcel mieszkał w starej rezydencji na nabrzeżu Bourse, dwa kroki od mostu Boieldieu.

— Mogę mówić z panem Courcelem?

— Niedawno wyszedł... Żona przy aparacie.

Głos był młody, wesoły.

— Mam coś przekazać?

— O której, pani zdaniem, może wrócić?

— Na obiad na pewno, bo mamy gości.

— Dziś rano przyjechał do domu?

— Wczoraj wieczorem. A kto mówi?

Zgodnie z instrukcjami Maigreta, Lapointe wolał się rozłączyć.

— Właśnie wyszedł, a wrócił wczoraj wieczorem. Ma być w domu na obiedzie, bo przyjdą goście... Żona ma miły głos.

— To zostaje nam jeszcze François Paré. Poszukaj jego telefonu w Wersalu.

I tu odpowiedział głos kobiecy, ale znużony, niesympatyczny.

— Słucham, Paré...

— Chciałbym prosić małżonka...

— Kto mówi?

— Pracownik ministerstwa — zaimprowizował Lapointe.

— Czy to pilne?

— Dlaczego?

— Bo mąż leży w łóżku. Gdy wczoraj wrócił, źle się poczuł, miał niespokojną noc, więc rano zmusiłam go, żeby został w łóżku. Za dużo pracuje jak na swoje lata...

Inspektor czuł, że tamta zaraz odłoży słuchawkę, szybko zadał więc ostatnie pytanie:

— I nikt go dziś rano nie odwiedzał?

— A kto miał być?

— Ktoś, kto miał mu coś przekazać.

— Nie było nikogo...

Bez słowa rozłączyła się.

Florentin i rudzielec byli na cmentarzu, gdy pani Blanc znikła. I z nikim z trzech pozostałych podejrzanych się nie spotkała.

Pani Maigret zostawiła go w spokoju przy obiedzie, bo sprawiał wrażenie mocno zaaferowanego i nie chciała zawracać mu jeszcze głowy. Dopiero gdy nalała mu kawy, spytała:

— Czytałeś dziś gazetę?

— Nie miałem czasu.

Poszła po jeden z porannych dzienników, leżących na stoliku w salonie. Wielki tytuł głosił:

Zbrodnia przy Notre-Dame-de-Lorette

A poniżej bardziej jeszcze wymowne podtytuły:

Tajemnicze zebranie na Quai des Orfevres
Komisarz Maigret zakłopotany

Przed lekturą artykułu Maigret odchrząknął i wybrał fajkę spośród zawieszonych na stojaczku.

We wczorajszym wydaniu opisaliśmy szczegółowo zbrodnię popełnioną w jednym z mieszkań przy ulicy Notre-Dame-de-Lorette. Ofiarą jej padła młoda kobieta, Joséphine Papet, samotna, bez zawodu.
Daliśmy do zrozumienia, że zabójcy należy szukać na pewno wśród kilku mężczyzn, których ofiara darzyła względami.
Mimo tajemnicy śledztwa, dowiadujemy się, że kilka osób zgromadzono wczoraj na Quai des Orfevres na konfrontacji. Jak nam wiadomo, były tam pośród nich wybitne osobistości.
Szczególną uwagę przykuwa jeden z podejrzanych, bo przebywał w mieszkaniu w chwili popełnienia zabójstwa. Czy był tylko świadkiem mordu? Czy też może sprawcą?
Komisarz Maigret, który osobiście kieruje śledztwem, znalazł się w delikatnej sytuacji. Okazuje się, że ów mężczyzna, Léon F., jest jego przyjacielem z dzieciństwa.
Czyżby to miało być powodem, że mimo wysuwanych przeciwko niemu zarzutów, podejrzany ciągle znajduje się na wolności? Trudno nam uwierzyć, by...

Maigret zmiął gazetę i wstał, mamrocząc przez zaciśnięte zęby:
— Bałwany.
Czy niedyskrecję popełnił jeden z inspektorów, który bez złej woli dał się pociągnąć za język? Wiedział przecież, że reporterzy węszą wszędzie. Na pewno wypytywali też konsjerż-

kę i niewykluczone, że w rozmowie z nimi okazała się bardziej gadatliwa niż z policją.

Na bulwarze Rochechouart był również ten brodaty malarz, sąsiad Florentina.

— Bardzo cię to złości?

Wzruszył ramionami. Prawdę mówiąc, artykuł tylko powiększył jego wahania.

Przed wyjściem z komendy dostał raport balistyczny Gastinne-Renette'a, który potwierdził opinię lekarza sądowego. Pocisk był dwunastomilimetrowy, ogromny, rzadko spotykanego kalibru; wystrzelić go się dało tylko z przestarzałego modelu rewolweru produkcji belgijskiej, wycofanego z handlu.

Ekspert dodawał, że broń takowa nie zapewnia precyzji celu.

Najwidoczniej chodziło o stary rewolwer z nocnego stolika. Gdzie był teraz? Poszukiwania nie miały sensu. Równie dobrze można go było wrzucić do Sekwany czy do byle jakiej studzienki kanalizacyjnej, zostawić na wysypisku czy wiejskim polu.

Po co morderca w ogóle zabrał ze sobą ten kompromitujący przedmiot, skoro mógł porzucić go na miejscu? Bał się, że zostawił odciski palców, a nie miał czasu na usunięcie ich?

Skoro tak, nie miałby również czasu na wytarcie mebli i innych rzeczy, które dotykał.

A przecież w pokoju usunięto wszystkie odciski, łącznie z tymi na klamkach...

Czy należy wnioskować, że wbrew twierdzeniom Florentina morderca nie spędził całego kwadransa w mieszkaniu?

A może to sam Florentin zatarł ślady?

Całe rozumowanie prowadziło do niego. On był jedynym logicznym podejrzanym. Ale komisarz nie miał zaufania do takich spekulacji.

Choć zły był na siebie za tę cierpliwość, która zbytnio przypominała pobłażliwość. Czy nie ulegał jakimś sentymentom do tamtych młodych lat?

— Zupełny idiotyzm... — rzucił głośno.

— Ty byłeś naprawdę jego przyjacielem?

— Wcale nie... Jego błazeństwa raczej mnie drażniły...

Nie dodał, że czasem chodził do cukierni, aby popatrzeć na siostrę kolegi z klasy, i się przy tym rumienił.

— To na razie...

Nadstawiła mu policzek.

— A wrócisz na kolację?

— Mam nadzieję...

Zaczęło padać, a on nawet tego nie zauważył. Pobiegła za nim i na schodach podała mu parasol.

Na rogu bulwaru złapał autobus z otwartym pomostem i bezwolnie kiwał się w rytm ruchu pojazdu, przyglądając się ślepo tym cudacznym istotom ludzkim, spieszącym po chodnikach. Niewiele brakowało, a zaczęliby biec. Dokąd? Po co?

„Jeżeli do poniedziałku nic nie wymyślę, każę go zamknąć" — przykazał sobie w duchu, jakby chcąc uspokoić własne sumienie.

Pod parasolem ruszył pieszo z Châtelet na Quai des Orfevres. Niczym bicze siekły w twarz podmuchy wiatru z wodą. Mokrą wodą, jak mawiał, będąc dzieckiem.

Ledwo znalazł się w swym pokoju, ktoś zapukał i zaraz wyłonił się inspektor Lourtie.

— Bonfils mnie zmienił — objaśnił. — Ona wróciła.

— O której?

— Dwadzieścia po dwunastej... Zobaczyłem, jak spokojnie kroczyła ulicą z torbą na zakupy w ręku...

— Torba była pełna?

— W każdym razie większa i cięższa niż rano... Przyjrzała mi się, przechodząc obok. I jakby się ze mnie nabijała... Gdy weszła do stróżówki, zdjęła z drzwi kartkę „Dozorczyni jest na klatce schodowej".

Maigret pięć czy sześć razy przemierzył pokój od okna do drzwi i z powrotem. Kiedy się wreszcie zatrzymał jak wryty, decyzja zapadła.

— Jest Lapointe?

— Tak.

— Powiedz mu, żeby na mnie czekał. Zaraz wrócę.

Z szuflady wyciągnął klucz od drzwi łączących policję kryminalną z Pałacem Sprawiedliwości. Ruszył długimi korytarzami, minął ponurą klatkę schodową, na koniec zapukał do drzwi gabinetu sędziego.

Większość biur była pusta, głucha. W sobotnie popołudnie nikła była szansa, że zastanie Page'a przy pracy.

— Proszę — rozległ się, dochodzący jakby z daleka, głos.

Był jednak u siebie, w pyle kurzu próbował zaprowadzić jakiś porządek w łączącym się z jego gabinetem schowku bez okna.

— Czy uwierzy pan, Maigret, że odkrywam tu akta sprzed dwóch lat, nigdy nie sklasyfikowane? Całymi miesiącami będę musiał likwidować to, co mój poprzednik nagromadził na tym śmietniku...

— Ja przyszedłem prosić o nakaz rewizji.

— To pan zaczeka, umyję tylko ręce...

Musiał iść aż do toalety w końcu korytarza. Sympatyczny, sumienny chłopak.

— Jest coś nowego?

— Ta konsjerżka nie daje mi spokoju. Jestem pewny, że coś wie... Wczoraj, w czasie konfrontacji, ona jedna zachowała zimną krew, ona jedna też — oczywiście poza samym zainteresowanym — na pewno zna winnego...

— Dlaczego miałaby milczeć? Nienawidzi policji?

— Nie sądzę, by to był wystarczający powód narażania się na ryzyko... Myślałem nawet, czy morderca nie spróbuje jej zlikwidować, i ustawiłem jednego z moich ludzi pod jej drzwiami... Moim zdaniem, jeżeli uparcie milczy, to dlatego, że jej za to płacą. Nie mam pojęcia, ile już dostała... Gdy zrozumiała, jaką wagę przywiązuje się do tej całej historii, musiała sobie pomyśleć, że nie wyszła na swoje. I dziś rano, jak zawodowiec urwała się śledzącemu ją inspektorowi. Zwyczajnie weszła najpierw do rzeźnika, żeby go wyprowadzić w pole. A po zrobieniu tam zakupów równie swobodnie weszła do sklepu spożywczego, nie budząc podejrzeń mojego człowieka. Dopiero po kwadransie on się zorientował, że sklep.ma dwa wyjścia...

— I nie wie pan, dokąd poszła?

— Florentin był razem ze mną na cmentarzu Ivry. Jean--Luc Bodard też tam przyszedł...

— Spotkała się z jednym z trzech pozostałych?

— Nie mogła widzieć się z żadnym z nich. Lamotte wrócił wczoraj do Bordeaux wieczornym pospiesznym, Courcel jest w Rouen i ma gości na obiedzie, a François Paré leży w łóżku, chory, i teraz jego żonie daliśmy do myślenia...

— Na jakie nazwisko wystawić ten nakaz?

— Blanc, konsjerżka.

Sędzia odszukał formularz w szufladzie pisarza kancelarii, wypełnił rubryki, podpisał, przykleił wilgotny znaczek skarbowy.

— Powodzenia...

— Dziękuję.

— A tak przy okazji, niech się pan nie martwi głosami prasy. Wszyscy, którzy pana znają...

— Dziękuję panu...

Parę minut później opuszczał Quai des Orfevres z Lapointe'em za kierownicą. Ruch aut był duży, jak w każdą sobotę, ludzie też spieszyli się bardziej niż zazwyczaj. Mimo deszczu i wiatru tłok panował na drogach prowadzących do autostrad i na wieś.

Tym razem Lapointe od razu znalazł miejsce przy chodniku, przy samej kamienicy. Sklep z bielizną był zamknięty. Otwarty był tylko ten z obuwiem, ale świecił pustkami, a właściciel stał w rogu i zadumany spoglądał na ociekające deszczem chmury.

— Czego szukamy, szefie?

— Wszystkiego, co się nam może przydać... Ale głównie pieniędzy...

Pierwszy raz się zdarzyło, że Maigret zastał panią Blanc siedzącą w stróżówce. W drucianych okularach na swoim bulwiastym nosie czytała świeże wydanie popołudniowego dziennika.

Maigret otworzył drzwi, za nim wszedł Lapointe.

— Wytarliście nogi?

A gdy żaden nie odpowiadał, dodała:

— Czego znów ode mnie chcecie?

Maigret bez słowa podał jej nakaz rewizji. Uważnie, dwukrotnie go przeczytała.

— Nie rozumiem, o co tu chodzi. Co chce pan robić?

— Rewizję.

— To znaczy, że będzie pan grzebał w moich rzeczach?

— Bardzo mi przykro.

— Zastanawiam się, czy nie lepiej wezwać adwokata.

— To by świadczyło, że ma pani coś do ukrycia... Lapointe, miej panią na oku, nie pozwól, by dotknęła czegokolwiek.

W kącie stróżówki stał kredens w stylu Henryka II, górne drzwiczki były oszklone. W tej części stały tylko szklanki, karafka i fajansowy serwis do kawy w duże kwiaty.

W szufladzie po prawej stronie były noże, widelce, łyżki, korkociąg, a do tego zdekompletowane, trzy obrączki na serwetki. Sztućce były niegdyś posrebrzane, teraz przeświecała już miedź.

Ciekawsza była szuflada po lewej, bo zawierała zdjęcia i dokumenty. Jedno ze zdjęć przedstawiało parę małżeńską. Pani Blanc mogła mieć ze dwadzieścia pięć lat i choć już wtedy była pulchna, nie sposób było przewidzieć, że zmieni się w takie monstrum. Uśmiechała się nawet, zerkając na osobnika o jasnych wąsikach, zapewne męża.

W kopercie znalazł listę lokatorów, wraz z wysokością komornego. Potem, pod widokówkami, trafił na książeczkę oszczędnościową.

Pierwsze wpłaty miały datę sprzed kilku lat. Początkowo były skromne, po dziesięć, dwadzieścia franków każda. Potem zaczęła odkładać regularnie po pięćdziesiąt franków miesięcznie. W styczniu, po gwiazdce, było zwykle od stu do stu pięćdziesięciu franków.

W sumie osiem tysięcy trzysta dwadzieścia dwa franki z centymami.

Żadnej wpłaty ani wczoraj, ani przedwczoraj. Ostatnia pochodziła sprzed dwóch tygodni.

— No to już pan wie wszystko!

Nie dając się wyprowadzić z równowagi, szukał dalej. W dolnej części kredensu naczynia kuchenne, a także stos kwadratowych obrusów.

Uniósł wtedy welurową serwetę na okrągłym stole, szukając może szuflady, ale nie było tam żadnej.

Po lewej stał telewizor. W szufladzie stolika nie znalazł nic, prócz kawałków sznurka, pinezek i paru gwoździ.

Przeszedł do drugiego pomieszczenia, które było nie tylko kuchnią, ale i sypialnią, bo w głębi, za starą firanką stało łóżko.

Zaczął od nocnego stolika, gdzie trafił tylko na różaniec, książkę do nabożeństwa i gałązkę bukszpanu. Przez chwilę musiał pomyśleć, co z tą gałązką. No tak, zanurzano ją w święconej wodzie po śmierci kogoś z rodziny i zachowywano jako pamiątkę.

Trudno było uwierzyć, że ta kobieta miała męża. Może także dziecko, które było teraz gdzieś w świecie?

Widywał już mężczyzn i kobiety, których los tak okrutnie doświadczył, że zmieniał niemal w potwory. Przez lata całe ona dni i noce spędzała w tych dwóch posępnych i niewietrzonych pomieszczeniach, gdzie mogła się poruszać z równą swobodą, jak po więziennej celi.

Świat na zewnątrz jawił jej się chyba tylko w postaci listonosza i lokatorów, przechodzących obok jej okienka.

Każdego ranka, mimo tuszy i opuchlizny nóg, musiała sprzątać windę, a potem całe schody, od góry do dołu.

A jeżeli kolejnego dnia nie byłaby w stanie?...

Złościł się, że ją tak nęka, ale mimo to otworzył małą lodówkę, gdzie znalazł połówkę sznycla, resztki jajecznicy, dwa kawałki szynki i trochę zakupionych rano warzyw.

Na stole stało pół butelki wina, w szafie bielizna i suknie, a także gorset i elastyczne podkolanówki.

Wstyd mu było teraz, że musi dalej szperać, ale wbrew wszystkiemu nie chciał się przyznać do porażki. Taka kobieta nie poprzestanie na obietnicach. By zapewnić sobie jej milczenie, ktoś musiał wyłożyć gotówkę.

Kiedy wrócił do stróżówki, nie umiała pohamować błysku niepokoju w oczach.

Teraz już wiedział, że to, czego szuka, nie znajduje się w kuchni. Rozejrzał się wokoło, powoli. Co pominął?

I nagle zbliżył się do telewizora, na którym leżał stos ilustrowanych czasopism. Jedno z nich z programem radia i telewizji, pełnym zdjęć i recenzji.

Gdy tylko je otworzył, zrozumiał, że wygrał. Kartki same się rozchyliły w miejscu, gdzie włożono trzy banknoty pięćsetfrankowe i siedem stówek.

Dwa tysiące dwieście franków. Banknoty pięćsetfrankowe były nowiutkie.

— Chyba mam prawo mieć jakieś oszczędności?

— Zapomina pani, że widziałem książeczkę...

— I co z tego? Muszę wszystko tam trzymać? A jeżeli nagle potrzebuję pieniędzy?

— Dwa tysiące dwieście franków naraz?

— To moja sprawa. Niech pan tylko spróbuje robić mi z tego powodu kłopoty...

— Jest pani inteligentniejsza, niż na to wygląda, pani Blanc. Można powiedzieć, że wszystko pani przewidziała, łącznie z dzisiejszą rewizją. Gdyby pani wpłaciła te pieniądze, odnotowano by to w książeczce i musiałbym zwrócić uwagę na wysokość sumy i na datę wpłaty. Nie miała pani zaufania do kredensu, szuflad, rozprutych materaców. Można by rzec, że czytała pani Edgara Allana Poego. Po prostu wsunęła pani banknoty w gazetę...

— Nikomu ich nie ukradłam.

— Nie twierdzę, że cokolwiek pani ukradła. Jestem nawet pewien, że wychodzący morderca, widząc panią za szybą, sam przyszedł zaoferować pani pieniądze... Wtedy nie wiedziała pani jeszcze, że w tym domu popełniono zbrodnię... Widocznie nie tłumaczył pani, dlaczego tak mu zależy, aby nikt nie wiedział, że tu był tego dnia. Musiała go pani dobrze znać, bo inaczej nie obawiałby się pani...

— Nie mam nic do powiedzenia...

— Kiedy wczoraj po południu zobaczyła go pani u mnie, wyczuła, że on bardzo się boi pani i tylko pani, bo pani jedna mogłaby zeznawać przeciwko niemu... I rano postanowiła go pani najść, by wyciągnąć więcej, zakładając, że wolność człowieka, szczególnie bogatego, warta jest więcej niż dwa tysiące dwieście franków...

Tak jak poprzedniego dnia, na jej wargach zarysował się lekki, bardzo leciutki uśmiech, wręcz żaden.

— Nie zastała pani nikogo... Zapomniała pani, że to sobota...

Kobieta dalej zachowywała ten uparty, tajemniczy wyraz szerokiej twarzy.

— Nic nie powiem. Może mnie pan bić...

— Nie mam najmniejszej ochoty. Jeszcze się zobaczymy. Chodźmy, Lapointe...

I obaj wśliznęli się do małego, czarnego samochodu.

7

Zrobili to samo, co wszyscy, i mimo paskudnej pogody, krótkich tylko rozpogodzeń między jedną ulewą a drugą, wyjechali na niedzielę za miasto.

Kiedy kupowali samochód, obiecali sobie korzystać z niego jedynie wtedy, gdy odwiedzali swój mały domek w Meung-sur-Loire, i w czasie wakacji. Dwa czy trzy razy rzeczywiście wyjeżdżali do Meung, ale było za daleko, nie opłaciło się na kilka godzin, poza którymi dom stał pusty, a pani Maigret ledwie zdążyła go wtedy wysprzątać i przygotować jakiś prosty posiłek.

Tego ranka wyjechali około dziesiątej.

„Ominiemy autostrady" — powiedzieli sobie.

Ale tysiące paryżan wpadło na ten sam pomysł i jak zwykle urocze boczne drogi były zatłoczone jak Pola Elizejskie.

Zazwyczaj też szukali jakiejś sympatycznej oberży z zachęcającą kartą dań. Wszędzie jednak albo panował tłok i przychodziło czekać w kolejce, albo jedzenie było podłe.

Ale i tak ciągle próbowali od nowa. Zupełnie jak z telewizorem. Kupując go, przyrzekli sobie, że będą oglądać tylko najciekawsze programy.

Już po dwóch tygodniach musieli zmienić miejsca przy stole, by podczas kolacji oboje mogli siedzieć na wprost ekranu.

Nie kłócili się w aucie, jak to robiła większość małżeństw. Mimo to pani Maigret siedziała za kierownicą spięta. Niedawno dostała prawo jazdy i ciągle jeszcze brakowało jej pewności siebie.

— Dlaczego nie wyprzedzasz?

— Bo tu jest linia ciągła...

Tej niedzieli Maigret rzadko się do niej odzywał, pykał tylko fajkę, rozwalony na siedzeniu, wpatrzony gniewnie przed siebie. Myślami był na ulicy Notre-Dame-de-Lorette, na wszelkie sposoby odtwarzał scenę, jaka rozegrała się w mieszkaniu Joséphine Papet.

Osoby zamieniały się w pionki, które rozstawiał różnie, próbując wszelkich kombinacji. Każda przez pewien czas wydawała mu się do przyjęcia, dopracowywał więc szczegóły, wręcz dorabiał dialogi.

A potem, kiedy już wszystko pasowało, przychodziły mu na myśl nowe obiekcje i całość się sypała.

Zaczynał więc z nowymi pionkami. Albo tamte stare ustawiał na nowych pozycjach.

Trafili wreszcie do oberży, gdzie kuchnia nie była lepsza niż w bufecie dworcowym. Różnica polegała jedynie na wysokości rachunku.

Kiedy potem chcieli pospacerować w lesie, ugrzęźli w błocie, a na domiar zaczął lać deszcz.

I tak wrócili wcześniej domu, na obiad zjedli mięso na zimno z sałatką warzywną, a gdy Maigret zaczął się obijać po mieszkaniu, wyszli w końcu do kina.

W poniedziałek o dziewiątej wkroczył do swojego biura. Deszcz ustał, słońce świeciło, choć jeszcze słabo.

Na biurku znalazł raporty inspektorów, którzy na zmianę śledzili Florentina.

Cały sobotni wieczór spędził on w piwiarni przy bulwarze Clichy. Nie sprawiał wrażenia bywalca, bo nikt się z nim nie witał.

Zamówił małe piwo i usadowił się w pobliżu stolika, przy którym czterech stałych klientów, wyraźnie znajomych, grało w belotkę. Z rękami pod brodą, śledził rozgrywkę bez zaangażowania.

Około dziesiątej jeden z graczy, niski chudzielec, który gadał bez przerwy, oznajmił pozostałym:

— Muszę uciekać, chłopaki. Stara da mi popalić, jak wrócę późno, a rano wybieram się też na ryby...

Tamci chcieli, by został, ale na próżno, i wtedy rozejrzeli się po lokalu.

Jeden, ten o południowym akcencie, spytał Florentina:

— Zagra pan?

— Chętnie...

Zajął wolne miejsce i grał aż do północy, podczas gdy Dieudonne, który właśnie miał zmianę, nudził się w swoim kącie.

Florentin, jak bogacz, postawił kolejkę, płacąc setką, którą dostał od Maigreta.

Potem wrócił do siebie, gdzie pożegnał się mrugnięciem ze swoim opiekunem.

Rano długo się zbierał. Było już po dziesiątej, gdy wszedł do trafiki, na rogaliki moczone w kawie. I nie było już Dieudonne'a, tylko Lagrume, i Florentin przyglądał mu się ciekawie, bo Lagrume to był ktoś nowy.

Ten najbardziej ponury z inspektorów, któremu przez dziesięć miesięcy w roku dokuczał uporczywy katar. A do tego miał płaskostopie, mocno mu dopiekające, i dlatego śmiesznie stawiał kroki.

Florentin poszedł potem do kolektury loterii i wypełnił kupon losu, po czym ruszył bulwarem Batignolles. Przed hotelem Beausejour się nie zatrzymał. Nie wiedział, że tam mieszka rudzielec.

Zjadł potem coś w restauracji przy placu Ternes i, jak dzień wcześniej, poszedł do kina.

Co też pocznie ten długi chudzielec, z twarzą jak z gumy, gdy wyczerpie mu się stówa od komisarza?

Nie spotkał się z nikim. Nikt nie próbował nawiązać z nim kontaktu. Zjadł na koniec coś w barze samoobsługowym i poszedł spać.

Obserwacja przy Notre-Dame-de-Lorette też nie dała rezultatów. Pani Blanc wychodziła ze stróżówki tylko po to, żeby wynieść śmieci i pozamiatać schody.

Część lokatorów poszła na mszę. Inni wyjechali na cały dzień. Niemal wyludniona ulica była mniej hałaśliwa niż w dni powszednie, a dwaj inspektorzy, którzy się tu zmieniali, nudzili się niemiłosiernie.

A Maigret zaczął poniedziałek od przestudiowania na nowo wszystkich raportów — lekarza sądowego, rusznikarza, wreszcie Moersa i ekipy dochodzeniowej.

Po dyskretnym pukaniu w drzwi Janvier wkroczył do pokoju żwawo, cały gotowy do działania.

— Jak się pan czuje, szefie?

— Kiepsko...

— Nie udała się niedziela?

— Nie...

Janvier nie potrafił ukryć uśmiechu, bo znał te humory szefa i z reguły był to dobry znak. W trakcie śledztwa Maigret jak gąbka chłonął wrażenia, ludzi i rzeczy, notował w podświadomości najdrobniejsze szczegóły.

Zrzędził tym bardziej, im więcej zbierał tych wrażeń.

— A ty co robiłeś?

— Pojechaliśmy z żoną i dzieciakami do szwagierki. Na rynku mieli jarmark i dzieci wydały mi majątek na strzelanie do glinianych figurek.

Maigret wstał i ruszył po pokoju. Rozległ się dzwonek na odprawę, ale bąknął:

— Obejdzie się beze mnie...

Nie miał ochoty odpowiadać na pytania przełożonego, a tym bardziej oznajmiać mu, co planuje zrobić. Ciągle przecież był niepewny, szukał.

— Gdyby tylko ta straszna baba chciała nam powiedzieć!...

Cały czas myślał o tej monstrualnej, nieprzeniknionej dozorczyni.

— Zaczynam żałować, że nie stosuje się już tortur. Ciekawe, ile trzeba byłoby wody, żeby ją napompować po dziurki w nosie...

Nie myślał tego poważnie, rzecz jasna, ale tak wyładowywał swoją wściekłość.

— A ty na nic nie wpadłeś?

Janvier nie lubił takich pytań Maigreta i unikał zbyt jednoznacznych odpowiedzi.

— Zdaje mi się...

— Co ci się zdaje? Pewnie to, że trafiam jak kulą w płot?

— Przeciwnie. Zdaje mi się tylko, że Florentin wie jeszcze więcej od niej. I Florentin nie jest taki twardy... Czeka go najwyżej klepanie biedy na Montmartrze i naciąganie na parę groszy to tu, to tam...

Maigret przyjrzał mu się z uwagą.

— Przyprowadź go tu...

I zawołał go jeszcze, nim mu zniknął.

— Podejdź na Notre-Dame-de-Lorette i ściągnij też dozorczynię... Niech sobie protestuje, ile chce, w razie potrzeby sprowadź ją siłą...

Janvier uśmiechnął się, bo trudno mu było wyobrazić sobie, jak się szarpie z tą górą mięsa, ważącą ze dwa razy więcej od niego.

A chwilę później Maigret telefonował do Ministerstwa Robót Publicznych.

— Chciałbym rozmawiać z panem Paré.

— To łączę z jego sekretariatem...

— Halo! Pan Paré?

— Nie ma pana Paré. Żona właśnie dzwoniła, że jest chory...

No to kolejny telefon do Wersalu.

— Pani Paré?...

— Kto mówi?

— Komisarz Maigret. Jak się mąż czuje?

— Kiepsko. Był lekarz i obawia się, że to załamanie nerwowe...

— Nie mógłbym z nim porozmawiać?

— Lekarz zalecił absolutny spokój...

— Czy jest podenerwowany? Domagał się gazet?

— Nie... Nic nie mówi... Kiedy go o coś pytam, ledwie odpowiada półsłówkami lub gestem...

— To dziękuję pani.

Następnie zadzwonił do hotelu Scribe.

— Jean? Tu Maigret... Czy ten Victor Lamotte wrócił z Bordeaux?... Wyszedł już do biura?... Dziękuję... To teraz biuro na ulicy Auber.

— Chciałbym rozmawiać z panem Lamotte. Mówi komisarz Maigret...

Rozległ się szereg charakterystycznych dźwięków, jakby połączenie musiało nastąpić przez szczeble całej hierarchii, nim dotrze do samego szefa.

— Słucham — rozległ się wreszcie oschły głos.

— Mówi Maigret.

— Wiem, uprzedzono mnie.

— Zamierza pan zostać do południa u siebie w biurze?

— Sam jeszcze nie wiem.

— To zechce pan, proszę, nie wychodzić z biura i czekać na mój telefon...

— Uprzedzam jednak pana, że jeśli wezwie mnie pan znowu, przyjdę w obecności adwokata.

— Ma pan prawo...

Maigret rozłączył się i wykręcił na bulwar Voltaire'a, ale Fernanda Courcela nie było jeszcze w biurze.

— Nigdy nie przychodzi przed jedenastą, a bywa, że w poniedziałki rano nie przychodzi wcale... Chce pan rozmawiać z wicedyrektorem?

— Nie. Dziękuję.

Krążąc po pokoju z rękoma założonymi za plecy, Maigret spokojnie przeglądał w myślach te wszystkie hipotezy, które klecił poprzedniego dnia podczas jazdy samochodem.

Skończyło się na tym, że zatrzymał się przy jednej, w kilku wariantach. Parokrotnie spoglądał też na zegar.

Niemal ukradkiem otworzył szafkę, gdzie trzymał butelkę koniaku. Nie dla siebie, ale czasem była potrzebna, gdy klient miał moment załamania w trakcie zeznań.

On sam się teraz nie łamał. Nie on miał się przyznawać do winy. Ale mimo to wychylił solidny łyk prosto z butelki.

Nie był zadowolony z tego. Jeszcze raz zerknął niecierpliwie na zegar. W końcu usłyszał na korytarzu kroki kilku osób i znajomy wściekły głos, należący do pani Blanc.

Otworzył drzwi.

— Zaczynam już dobrze poznawać to biuro... — Florentin próbował żartować, ale był wyraźnie zaniepokojony.

Dozorczyni natomiast walnęła ostro:

— Jestem wolną obywatelką i żądam...

— Janvier, zamknij ją w jakimś pokoju. Zostań z nią i postaraj się, żeby ci nie wydrapała oczu...

I zwrócił się do Florentina:

— Siadaj.

— Wolę stać.

— A ja wolę, żebyś siedział.

— Skoro nalegasz...

Skrzywił się jak niegdyś, gdy wybuchła kłótnia z profesorem, a on starał się rozśmieszyć całą klasę.

Maigret wyszedł do pokoju obok, żeby zawołać Lapointe'a. Asystował mu we wszystkich niemal przesłuchaniach i najlepiej znał sprawę.

Komisarz, nie śpiesząc się, napełnił fajkę, zapalił i palcem ostrożnie upychał tlący się tytoń.

— Florentin, nadal nie masz mi nic do powiedzenia?

— Powiedziałem wszystko, co wiem.

— Wcale nie.

— Przysięgam ci, że to prawda.

— A ja twierdzę, że kłamiesz na całej linii.

— Nazywasz mnie kłamcą?

— Zawsze nim byłeś. Już w gimnazjum...

— To tylko dla żartu...

— Właśnie... A tu żartów nie ma.

Spojrzał w oczy dawnemu koledze. Bardzo poważnie. Z pogardą i litością zarazem. I więcej w tym chyba było litości niż pogardy.

— I co twoim zdaniem teraz będzie?

Florentin wzruszył ramionami.

— Skąd miałbym to wiedzieć?

— Masz pięćdziesiąt trzy lata...

— Pięćdziesiąt cztery... Byłem starszy od ciebie o rok, bo jedną klasę powtarzałem.

— Masz więc już swoje lata i niełatwo ci będzie znaleźć drugą Josée...

Zwiesił głowę.

— Nawet nie będę szukał.

— Ten twój cały antykwariat to lipa... Nie masz zawodu, nie masz roboty... I żaden z ciebie szacowny gość, byś mógł naciągać frajerów...

To było okrutne, ale inaczej nie szło.

— Florentin, jesteś wrakiem człowieka...

— Wszystko rozlazło mi się między palcami... Wiem, że zmarnowałem życie, ale...

— Ale uparcie masz nadzieję. Nadzieję na co?

— Nie wiem...

— No dobrze. I skoro z tą sprawą skończyliśmy, zdejmę ci ciężar z serca...

Maigret miał czas, popatrzył znowu dawnemu koledze w oczy i wreszcie oświadczył:

— Wiem, że to nie ty zabiłeś Josée...

8

To nie Florentin był najbardziej zaskoczony, ale Lapointe, który siedział z ołówkiem zawieszonym w powietrzu i oszołomiony patrzył na szefa.

— Nie ciesz się jeszcze, bo to wcale nie znaczy, że jesteś czysty jak łza.

— Ale sam przyznajesz...

— Przyznaję, że w tym jednym nie kłamałeś, co mnie zresztą u ciebie zdumiewa...

— Jednak powiedziałeś...

— Wolałbym, żebyś mi nie przerywał. W zeszłą środę, tak jak mówiłeś, jakiś kwadrans po trzeciej ktoś zadzwonił do drzwi mieszkania...

— No widzisz!...

— Zamknij się, dobrze?... Nie wiedząc, kto to, pobiegłeś jak zwykle w stronę sypialni. Nadstawiłeś ucha, bo ani Josée, ani ty nie spodziewaliście się nikogo. Pewnie jednemu czy drugiemu z jej kochanków zdarzało się przyjść o innej godzinie albo w inny dzień, niż było umówione...

— W takim wypadku telefonowali...

— I żaden nigdy nie przyszedł bez uprzedzenia?

— Naprawdę wyjątkowo.

— A wtedy ty się chowałeś w garderobie. Tylko że w tamtą środę siedziałeś nie w garderobie, ale w sypialni... Poznałeś go po głosie i przestraszyłeś się, bo zrozumiałeś, że nie przyszedł do Josée...

Florentin zamarł, najwidoczniej nie rozumiał, jak dawny kolega doszedł do tego wniosku.

— Widzisz, mam dowody, że w środę ktoś tam był... I ten ktoś, przerażony zbrodnią, którą właśnie popełnił, próbował zapewnić sobie milczenie dozorczyni i dał jej wszystko, co miał w kieszeni, a mianowicie dwa tysiące dwieście franków...

— Czyli przyznajesz, że jestem niewinny...

— Tego morderstwa... Choć byłeś jego bezpośrednią przyczyną i gdyby w stosunku do ciebie mówić w ogóle o moralności, ponosisz za to odpowiedzialność moralną.

— Nie rozumiem.

— Rozumiesz...

Maigret wstał. Nigdy nie mógł długo usiedzieć na miejscu, a wzrok Florentina podążał za nim po pokoju.

— Joséphine Papet miała nowego ukochanego...

— Masz na myśli rudzielca?

— Tak.

— To było przelotne uczucie... Nigdy nie zgodziłby się mieszkać z nią razem, ukrywać się, wychodzić na noc w razie potrzeby... To młody facet, ma dziewczyn, ile tylko zapragnie...

— Ale Josée zakochała się, a ciebie miała dość...

— Skąd to wiesz?... Możesz się tylko domyślać...

— Sama to powiedziała.

— Komu? Tobie nie, bo jej nie znałeś za życia.

— Jean-Luc Bodardowi.

— Wierzysz w to, co ci ten smarkacz opowiada?

— Nie ma po co kłamać.

— A ja?

— Tobie grozi rok albo dwa więzienia. Raczej dwa, bo już byłeś uprzednio karany...

Florentin teraz już słabiej reagował. Nie wiedział, co więcej Maigret odkrył, ale to co słyszał, już go niepokoiło.

— Wróćmy do tej środowej wizyty... Poznałeś go po głosie i się przestraszyłeś, bo kilka dni czy tygodni przedtem zacząłeś szantażować jednego z kochanków Josée... Wybrałeś rzecz jasna tego najbardziej podatnego na groźby, któremu najbardziej zależało na opinii... Wspomniałeś mu o listach... I na ile go naciągnąłeś?

Florentin posępnie zwiesił głowę.

— Na nic...

— Nie dał się nabrać?

— Dał, ale żądał parodniowej zwłoki.

— Ile ty zażądałeś?

— Pięćdziesięciu tysięcy... Może dużo, ale chciałem skończyć z tym wszystkim i zacząć gdzieś nowe życie.

— Czyli Josée była w trakcie delikatnego usuwania cię...

— Chyba tak... Bardzo się zmieniła...

— Teraz zaczynasz mówić rozsądnie i jak dalej tak pójdzie, pomogę ci się wykaraskać...

— Naprawdę to zrobisz?

— Jaki ty jesteś głupi!...

Maigret rzucił to bardzo cicho, do siebie, ale Florentin dosłyszał i jego twarz zrobiła się purpurowa.

To była prawda. W Paryżu żyją tysiące ludzi marginesu, utrzymujący się z mniej lub bardziej jawnego wyłudzania, z naiwności lub chciwości bliźnich.

Zawsze mają jakiś cudowny plan, do realizacji którego brakuje im tylko kilku lub kilkudziesięciu tysięcy franków.

Rzadko się zdarza, by nie znaleźli naiwniaka i przez pewien czas nieźle im się wiedzie, jeżdżą samochodami i bywają w dobrych restauracjach.

Forsa się kończy, znów klepią biedę i wszystko zaczyna się od nowa, ale tylko jeden na dziesięciu trafia do więzienia.

A Florentin zawalał za każdym razem, a ostatnio zawalił już żałośnie.

— Jak wolisz, mówisz sam czy ja mam ciągnąć dalej?

— Wolę, żebyś ty...

— Gość spytał o ciebie. Wiedział, że jesteś w mieszkaniu, bo upewnił się u dozorczyni... Nie miał broni... Nie był szczególnie zazdrosny i nikogo nie zamierzał pozbawiać życia... Ale mimo to był podminowany. Josée, w obawie o ciebie, zapewniała, że cię nie ma, że nie wie, gdzie jesteś... On przeszedł do jadalni, minął ją... Ty pospieszyłeś do łazienki, a stamtąd już do garderoby...

— Nie zdążyłem się schować...

— Jasne... I on cię sprowadził znów do sypialni...

— Wymyślał mi przy tym od łajdaków — wtrącił Florentin z goryczą. — I to przy niej...

— Ona nic nie wiedziała o szantażu. Nie rozumiała, o co chodzi... Kazałeś jej milczeć. W końcu zależało ci na tych pięćdziesięciu tysiącach franków, widziałeś w nich ostatnią szansę...

— Sam już nie wiem... Nikt nie wie, co potem wyszło... Josée błagała, byśmy się uspokoili. On był wściekły... W pewnej chwili, gdy ciągle odmawiałem oddania mu listów, otworzył szufladę i chwycił rewolwer... Josée zaczęła krzyczeć. Ja też się bałem o siebie i...

— I schowałeś się za nią?

— Przysięgam ci, Maigret, że to przypadek, że właśnie ją trafił... Widać było, że facet nie umie obchodzić się z bronią. Wymachiwał rękoma... Już chciałem mu oddać te jego cholerne listy, kiedy padł strzał... Zgłupiał, z gardła wydobył mu się jakiś charkot i on sam wypadł do salonu...

— Ciągle z tym rewolwerem w ręku?

— Chyba tak, bo ja go potem nie znalazłem... Gdy pochyliłem się nad Josée, już nie żyła...

— Czemu nie zawiadomiłeś policji?

— Sam nie wiem...

— Ale ja wiem... Myślałeś o czterdziestu ośmiu tysiącach franków, schowanych w pudełku po biszkoptach, które owinąłeś potem w gazetę i nie myślałeś nawet, że to poranne wydanie... Wychodząc, przypomniałeś sobie o listach i schowałeś je do kieszeni... Myślałeś, że będziesz bogaty. Teraz miałeś kogo szantażować, już nie z powodu jakiegoś romansu, tylko morderstwa...

— Skąd takie przypuszczenie?

— Bo przetarłeś meble i klamki. Twoje odciski palców nie miały znaczenia, i tak byś nie zaprzeczył, że byłeś w tym mieszkaniu. Osłaniałeś tego drugiego, bo w więzieniu nie wart byłby dla ciebie złamanego grosza.

Maigret ciężko opadł na fotel i zaczął nabijać nową fajkę.

— Wróciłeś do siebie, ukryłeś pudełko po biszkoptach na szafie... Wtedy nie myślałeś o listach w kieszeni. Przypomniałeś sobie o mnie i pomyślałeś, że dawny kolega szkolny cię nie skrzywdzi... Zawsze byłeś tchórzem, pamiętasz? Był taki mikrus, Bambois, jak się nie mylę, który straszył cię tylko, że ręce ci powyrywa...

— Teraz nie masz sumienia...

— A ty? Gdybyś nie zachował się jak kanalia, Josée by żyła...

— Do końca życia tego sobie nie daruję...

— To jej nie wskrzesi... Twoje wyrzuty sumienia, i tyle... Przyszedłeś odegrać komedyjkę i od pierwszych słów zrozumiałem, że coś tu nie tak. W tym mieszkaniu też wszystko wyglądało jakoś pokrętnie, ale nie umiałem znaleźć tego, co doprowadziłoby mnie do prawdy... Najbardziej intrygowała mnie dozorczyni. Jest znacznie od ciebie twardsza...

— Nigdy nie mogła mnie znieść...

— I ty jej nie znosiłeś. Nie zdradzając gościa, nie tylko zarobiła dwa tysiące dwieście franków, ale i ciebie pogrążyła. A ten twój skok do Sekwany, to była głupota, bo naprowadziła mnie na myśl o listach. Jasne było, że nie chciałeś się topić. Dobry pływak nie tonie, skacząc z mostu Neuf o kilka metrów od barki, gdy chodnikami wali tłum. Przypomniałeś sobie, że masz te listy w kieszeni. Mój inspektor deptał ci po piętach, mógł cię zrewidować...

— Nie sądziłem, że odgadniesz...

— Trzydzieści pięć lat pracuję w tym fachu — wymamrotał Maigret.

Przeszedł do pokoju obok, by zamienić kilka słów z Lucasem.

— Pod żadnym pozorem nie daj się zwieść — dodał mu na koniec.

Wrócił do biura, gdzie Florentin stracił resztki pewności siebie. Był już tylko wielkim, oklapłym wrakiem, z zapadłą twarzą o rozbieganych oczach.

— Jak zrozumiałem, będę odpowiadał za szantaż?

— To zależy...

— Od czego?

— Od sędziego śledczego. I częściowo ode mnie też... Nie zapominaj, że wytarłeś odciski palców, aby nam utrudnić odnalezienie mordercy. Możesz zostać oskarżony o współudział...

— Ale tego nie zrobisz, powiedz!

— Porozmawiam z sędzią...

— Rok więzienia, gorzej dwa, jeszcze uda mi się przetrzymać. Ale jak mnie zamkną na lata, wyjdę nogami do przodu. Już teraz serce mi często siada...

Z pewnością będzie próbował trafić do szpitala więziennego w La Sante. I to był ten sam chłopak, który ich rozśmieszał w Moulins. Gdy lekcja stawała się nudna, namawiano go do jakichś wygłupów.

I dał się namówić. Wiadomo było, że o niczym innym nie marzy. Stale wymyślał nowe miny, nowe kawały.

Pajac... Kiedyś, w rzece Nievre, udawał, że się topi, dopiero po kwadransie znaleziono go w szuwarach, gdzie dopłynął pod wodą.

— Na co czekamy? — spytał, znów zaniepokojony.

Z jednej strony doznał ulgi, że wszystko się skończyło, z drugiej obawiał się, że dawny kolega może zmienić zdanie.

Zapukano do drzwi, wyłonił się stary Joseph i na biurku Maigreta położył wizytówkę.

— Niech wchodzi... A inspektor Janvier niech sprowadzi osobę, która tam z nim jest.

Dużo dałby za kufel zimnego piwa albo choć jeszcze jedną lampkę koniaku.

— Mój adwokat, mecenas Bourdon...

Jeden z filarów palestry, były prezes izby adwokackiej, przebąkiwano o jego kandydaturze do Akademii Francuskiej.

I Victor Lamotte, chłodny i wyniosły, powłóczący lekko nogą, który zajął jedno z krzeseł, obrzucając Florentina ledwie spojrzeniem.

— Mam nadzieję, panie komisarzu, że ma pan solidne podstawy, by wzywać mojego klienta? Dowiedziałem się, że już w sobotę przeprowadził pan konfrontację i zastrzegam, że mogę podać w wątpliwości jej legalność...

— Zechce pan spocząć, panie mecenasie — powiedział tylko Maigret.

Janvier wepchnął do pokoju wzburzoną panią Blanc, która na widok kuternogi nagle znieruchomiała.

— Proszę, pani Blanc... Niech pani zajmie miejsce...

Odnosiło się wrażenie, że znienacka stanęła w obliczu nowego problemu.

— A to kto? — spytała, wskazując mecenasa Bourdon.

— Adwokat pani przyjaciela, pana Lamotte'a.

— Pan go kazał aresztować?

Oczy miała jeszcze bardziej wyłupiaste niż zawsze.

— Jeszcze nie, ale za parę minut to zrobię. Przyznaje pani, że to on w zeszłą środę, wychodząc od panny Papet, wręczył pani dwa tysiące dwieście franków w zamian za milczenie?...

Nie odpowiedziała, zaciskając zęby.

— Popełnił pan błąd, panie Lamotte, wręczając jej te pieniądze. Wielkość sumy zaostrzyła jej apetyt. Uznała, że skoro jej milczenie ma aż taką cenę, warte jest może i więcej...

— Nie wiem, o czym pan mówi...

Adwokat tylko marszczył brwi.

— Wyjaśnię panu, czemu to z kilku podejrzanych właśnie pana wybrałem... W sobotę pani Blanc, będąca pod nadzorem jednego z inspektorów, postarała się go zgubić, wchodząc do sklepu o dwóch wyjściach... Chciała zobaczyć się z panem i zażądać dopłaty. Spieszyło się jej, w obawie, że lada chwila może pan być aresztowany...

— Nie widziałem się z tą panią w sobotę.

— Wiem... Istotne jest to, że pana szukała... Każdy z was trzech miał swój dzień, François Paré w środę, Courcel noc z czwartku na piątek... A Jean-Luc Bodard bywał nieregularnie... Na ogół kupiec z prowincji, który co tydzień spędza służbowo kilka dni w Paryżu, wraca do domu w sobotę. Ale w pana wypadku było inaczej, bo sobotnie popołudnia poświęcał pan pannie Papet. Dozorczyni o tym wiedziała i dlatego starała się pana odszukać. Nie pomyślała, że nie mając randki, wyjechał pan z Paryża już poprzedniego wieczora...

— Bardzo sprytne — zauważył adwokat — ale wątpię, czy sąd zadowoli się tak błahym oskarżeniem.

Dozorczyni milczała, potężna i sztywna, jak nigdy dotąd.

— Rzecz jasna, panie mecenasie, że nie aresztuję pańskiego klienta w oparciu o taki wniosek. Tu obecny Léon Florentin wyznał nam jednak wszystko...

— Sądziłem, że to on jest faktycznym winowajcą.

Florentin zwiesił ramiona, nie śmiał spojrzeć na nikogo.

— Nie winowajcą — odparł Maigret. — Ofiarą.

— Nic już nie rozumiem.

Ale Victor Lamotte zrozumiał i poruszył się na krześle.

— Teoretycznie, to w niego była wymierzona broń. To jemu groził pan Lamotte, by odzyskać kompromitujące listy... Tak się składa, że jest kiepskim strzelcem, a co więcej, broń nie odznaczała się precyzją strzału...

— Czy to prawda? — zapytał adwokat swego klienta.

Nie spodziewał się, że rozmowa przyjmie taki obrót. Lamotte nie odpowiadał, wściekle patrzył na Florentina.

— Chciałbym dodać, panie mecenasie, do wykorzystania przy obronie, że nie ma pewności, czy pański klient zabił rozmyślnie. To człowiek nie znoszący sprzeciwu, opór doprowadził go do szału. Niestety, miał w ręku broń i wtedy padł strzał...

Tym razem kuternoga drgnął i osłupiały zerknął na Maigreta, który dodał:

— Zechcą panowie poczekać chwilę...

Raz jeszcze Maigret przebył tę samą co w sobotę drogę korytarzami Pałacu Sprawiedliwości. Zapukał do drzwi sędziego śledczego, zastał go zatopionego w grubych aktach, a pisarz kancelarii zmienił go w uprzątaniu pokoiku obok.

— Skończone! — oświadczył głośno Maigret, opadając na krzesło.

— Przyznał się?

— Kto?

— No... Chyba Florentin...

— On nikogo nie zabił... Ale potrzebuję nakazu aresztowania na jego nazwisko. Powód: próba szantażu.

— A morderca?

— Czeka w moim gabinecie w obecności swojego adwokata, mecenasa Bourdon...

— Ten dopiero nam da popalić... To jeden z tych...

— Będzie bardzo ustępliwy... Nie posunąłbym się tak daleko, by uznać to za wypadek, ale jest wiele okoliczności łagodzących.

— I który to z nich?

— Ten kulawy, Victor Lamotte, handlarz win z nabrzeża Chartrons w Bordeaux, gdzie nie igra się z godnością, ani nawiasem mówiąc, z moralnością... Dziś po południu sporządzę raport i mam nadzieję, że go przyniosę przed końcem służby... Dochodzi już południe i...

— Głodny pan jest?

— Spragniony! — przyznał Maigret.

Kilka minut później, u siebie w biurze wręczał podpisane przez sędziego nakazy Lapointe'owi i Janvierowi.

— Zaprowadźcie ich do dochodzeniówki dla dopełnienia formalności, a potem do aresztu...

Janvier, pokazując na dozorczynię, która wstała właśnie z miejsca, spytał:

— A ona?

— Zobaczymy później. Na razie niech wraca do siebie... Stróżówka nie może pozostawać długo pusta...

Spojrzała na niego oczami bez wyrazu. Wargi tylko drgnęły i syknęła, jak woda padająca na ogień, a potem bez słowa ruszyła do wyjścia.

— Przyjdziecie do piwiarni Dauphine, chłopcy?

Dopiero po niewczasie skojarzył, jak okrutne było takie głośne umawianie się ze współpracownikami przy tych dwóch, których czeka więzienie.

Pięć minut później, przy barze małego znajomego lokalu, zamawiał:

— Piwo... W największym kuflu...

Przez całe trzydzieści lat nie spotkał żadnego ze szkolnych kolegów z gimnazjum Banville.

I musiał trafić właśnie na Florentina!

Epalignes (Vaud), 24 czerwca 1968 r.

Nakładem *C&T*

Georges Simenon
PORAŻKA MAIGRETA

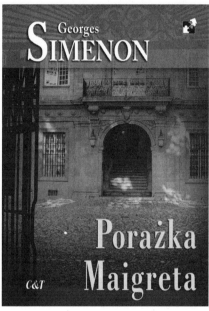

Gdy Ferdinand Fumal przychodzi do biura Maigreta, ten szybko kojarzy, że w czasach szkolnych niezbyt się lubili. Ale to żaden argument, by nie pomóc tamtemu. Zwłaszcza że Fumal to dzisiaj człowiek prominentny, z koneksjami, i sam minister sugeruje paryskiej Policji Kryminalnej, by szczególnie zajęto się jego sprawą.

A rzecz cała wydaje się typowa, bo ktoś przysyła mu anonimy z pogróżkami. I ten „król rzeźników" oczekuje ochrony ze strony policji. Tyle że szybko okaże się, że na tę pomoc jest za późno...

I teraz Maigreta męczą wyrzuty sumienia wielkie jak chyba nigdy dotąd w jego zawodowej karierze...

Nakładem *C&T*

Georges Simenon
MAIGRET I SOBOTNI KLIENT

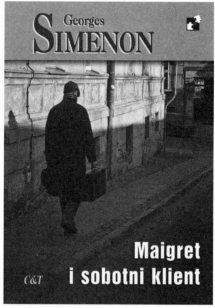

Człowiek, który przychodzi do biura komisarza Maigreta od kilku już tygodni, za każdym razem decyduje się odejść bez słowa. Wreszcie jednak odwiedza Maigreta w jego domu. I tam opowie mu swoją historię życia — dziwną i zaskakującą.

Bo Leonard Planchon już od dwóch lat mieszka pod jednym dachem z żoną i... jej kochankiem. A teraz ma zamiar zabić ich oboje. I to właśnie wyznaje komisarzowi...

Nakładem *C&T*

Georges Simenon
MAIGRET
I SĄD PRZYSIĘGŁYCH

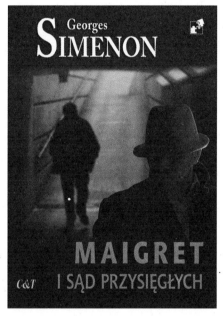

Kiedy zamordowano Leontine Faverges i oddaną jej pod opiekę czteroletnią Cecile, opinia publiczna była wstrząśnięta. Dlatego komisarz Maigret musiał szybko wykryć mordercę. I udało mu się to. A pomógł mu anonim wskazujący na Gastona Meuranta...

Ale kilka miesięcy później, już podczas rozprawy sądowej, Maigret nie jest przekonany o winie Meuranta. Zwłaszcza po nowych zeznaniach świadka Nicolasa Cajou — właściciela pewnego hoteliku, wynajmującego pokoje na godziny...

Nakładem *C&T*

Georges Simenon
NOC NA ROZDROŻU

Po siedemnastu godzinach przesłuchania Carl Andersen uparcie powtarzał, że to nie on zabił handlarza diamentami Goldberga. A że dowody były zbyt słabe, Maigret musiał wypuścić podejrzanego. Choć to nie znaczy, że nie pojedzie za nim na prowincję. Bo Andersen mieszka godzinę drogi od Paryża na słynnym Rozdrożu Trzech Wdów. Mieszka tam z siostrą, Else. A dwa pozostałe domy zajmują: agent ubezpieczeniowy Emile Michonnet i pan Oskar, właściciel stacji benzynowej i warsztatu samochodowego. I to w jednym z tych trzech domów mieszka morderca...

Nakładem *C&T*

Georges Simenon
MAIGRET I PAN CHARLES

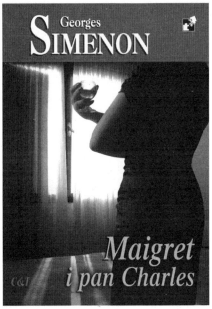

Żona znanego notariusza, Gerarda Sabin-Levesque, bardzo się upiera, by rozmawiać z komisarzem Maigret. I ma ku temu powody. Bo jej mąż zaginął cztery tygodnie temu. Czemu jednak zwlekała z powiadomieniem policji tak długo?

I tu również były powody. Bo szybko wychodzi na jaw, że notariusz prowadził bujne życie nocne i potrafił zniknąć na kilka dni z poznaną w lokalu kobietą. Czyżby tym razem miało być inaczej? Tragicznie dla pana Charlesa — bo pod takim właśnie imieniem był znany w okolicznych barach...

Nakładem *C&T*

Georges Simenon
MAIGRET W PENSJONACIE

Po odkryciu, że Emile Paulus — jeden ze sprawców napadu na bar — zaszył się w pensjonacie panny Clement, policja obserwuje ten lokal. I te rutynowe czynności doprowadziłyby w końcu do aresztowania Paulusa, gdyby inspektor Janvier nie został tam postrzelony podczas kolejnego wieczornego dyżuru.

Komisarz Maigret decyduje się wtedy zamieszkać w pensjonacie. I chociaż szybko udaje mu się wykryć obecność tam Paulusa, sprawy to wcale nie zamyka...

Nakładem *C&T*

Georges Simenon
MORDERCA

Doktor Hans Kuperus prowadził praktykę lekarską i wiódł spokojne życie, u boku żony Alice, w prowincjonalnym holenderskim miasteczku do czasu otrzymania pewnego anonimu... Wynikało z niego, że żona zdradza go z przyjacielem domu.

I doktorowi Kuperusowi kolejny rok zajęło dobre przygotowanie się do tego, by... pozbyć się niewiernej żony. Strzały z pistoletu pozbawiły życia ją i jej kochanka.

Zwłoki obojga utonęły w pobliskim kanale i do wiosny można było tłumaczyć to tajemniczym zniknięciem. Potem jednak wypadki potoczyły się zupełnie inaczej, niż zaplanował to doktor Kuperus...

Nakładem *C&T*

Georges Simenon
WIĘZIENIE

„Nic nie zrobił. Nie ponosił żadnej odpowiedzialności za to, co się stało. Tysiące mężów sypia ze swoimi szwagierkami, to rzecz znana. Młodsze siostry wykazują tendencję do podkradania tego, co posiada starsza..."

Tak uważa Alain Poitaud, którego zaskakuje najpierw wizyta policjanta, a potem wieść o śmierci szwagierki. To Jacqueline, żona Alaina, zastrzeliła młodszą siostrę, Adrienne, a potem oddała się w ręce policji. I teraz komisarz Roumagne próbuje od Alaina dowiedzieć się, dlaczego...

Ten jednak — mimo że miał krótki romans z Adrienne, dawno już zakończony — kompletnie nie rozumie zachowania żony. Czy naprawdę zazdrość była motywem tej zbrodni, a on sam prowokatorem?